Simbad el marino

Colección dirigida por

Francisco Antón

Simbad el marino

Adaptación, notas y actividades
Agustín Sánchez Aguilar

Ilustraciones
Amélie Veaux

Vicens Vives

Diseño gráfico: Estudi Colomer

Primera edición, 2003
Primera reimpresión, 2003
Segunda reimpresión, 2004

Depósito Legal: B. 43.998-2004
ISBN: 84-316-6859-8
Núm. de Orden V.V.: T-063

IMPRESO EN ESPAÑA
PRINTED IN SPAIN

Editorial VICENS VIVES. Avda. de Sarriá, 130. E-08017 Barcelona.
Impreso por Gráficas INSTAR, S.A.

Índice

Simbad el marino

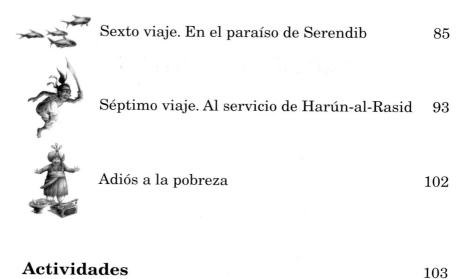

Simbad el marino

Simbad conoce a Simbad

Cuentan que el día en que a Simbad el marino se lo llevó la muerte, el mar se volvió negro de tristeza. Para entonces, la historia de aquel viejo mercader ya era bien conocida en Arabia y corría de pueblo en pueblo por otros reinos de Oriente. Todas las noches al salir la luna, los beduinos[1] se la contaban al amor de sus hogueras, y cada vez que pensaban en Simbad creían oír el rumor de las olas en medio del desierto. Mientras tanto, en las grandes ciudades, los esclavos relataban a sus señores los múltiples naufragios de Simbad, y los príncipes les explicaban a sus esposas que aquel sabio y astuto marino siempre volvía de sus viajes con las manos cargadas de monedas de oro. Y lo mismo en los grandes desiertos que en los ricos palacios de los reyes, la historia de Simbad maravillaba a todo el que la oía, así que cada noche los cielos de Oriente se llenaban poco a poco de exclamaciones de asombro.

Quien más quien menos sabía que Simbad el marino procedía de Bagdad,[2] una ciudad donde aquel hombre legendario siempre contó con muchos amigos. Los pordioseros del lugar solían besarle las manos por su buena costumbre de repartir

---

1 **beduinos**: pastores que viven en zonas desérticas de Arabia, Siria y el norte de África.
2 La ciudad de **Bagdad**, en el actual Irak, era la capital del imperio islámico en la época de Simbad.

limosnas, los poetas lo alababan en sus canciones y el mismo califa[3] presumía de conocerlo. A decir verdad, en toda la ciudad solo había una persona que ignoraba quién era Simbad el marino: se trataba de un joven porteador[4] que, por un raro capricho de la vida, también se llamaba Simbad. Todos los días del año trabajaba desde el amanecer hasta la noche llevando fardos de un lado para otro, pero, como la suerte no le acompañaba, vivía en la mayor de las pobrezas y apenas si lograba sustentar a su familia.

Un mediodía de mucho calor, Simbad el porteador se sentó a descansar por un momento junto a una gran mansión de la que salía un rumor incesante de músicas y risas. «¡Hay que ver lo injusto que es el mundo!», pensó entonces Simbad. «Los dueños de esta casa gozan de todos los placeres sin tener que trabajar, mientras que yo no descanso en todo el día y aun así no tengo donde caerme muerto». Al hilo de aquella idea, Simbad recordó una vieja canción, que comenzó a cantar con templada voz:

> Cuando Dios hizo el mundo
> desde la nada,
> puso en él cosas buenas
> y cosas malas,
> y al repartirlas
> le dio rosas al rico
> y al pobre espinas.
>
> No hay destino más triste
> que la pobreza,
> pues el pobre no tiene

---

3 **califa**: rey musulmán.
4 **porteador**: persona que trabaja transportando cosas.

ni quien lo quiera.
Todo en su vida
es miseria y trabajo,
hambre y fatiga.

Mientras tanto, los ricos
todo lo tienen:
tienen grandes palacios,
mesas de reyes.
De risa en risa,
sobre alfombras de flores
pasan su vida.

Por eso cada noche,
cuando le rezo,
al Señor le pregunto
mirando al cielo:
«¿Por qué este mundo,
siendo grande y hermoso,
es tan injusto?».

Cuando acabó de cantar, Simbad lanzó un suspiro de tristeza y se dispuso a seguir con su trabajo, pero justo entonces salió de la mansión un criado joven y bien vestido que le dijo:

—Señor, mi amo desea veros.

Simbad se quedó muy extrañado.

—¿Para qué va a querer ver a alguien tan pobre como yo un señor tan rico como tu amo? —dijo.

—No lo sé —respondió el criado—, pero acompañadme y él mismo os lo dirá.

De modo que Simbad siguió al joven hacia el interior de la casa. A través de un hermoso patio de naranjos que tenía todo el aroma de las rosas de Persia, los dos entraron en un lujoso salón donde diez caballeros vestidos como príncipes comían en una mesa repleta de manjares. Un anciano de ojos bondadosos que era sin duda el dueño de la casa invitó a Simbad a sentarse a su lado y a comer lo que quisiera. El pobre mozo estaba tan hambriento que devoró con ansia un plato tras otro hasta que se sintió a punto de reventar. Al acabar la comida, el dueño de la mansión le preguntó su nombre, y el joven respondió que se llamaba Simbad y que no era más que un simple porteador.

—¡Qué casualidad! —rió el anciano—. Yo también me llamo Simbad, aunque todo el mundo me conoce como Simbad el marino. En fin, supongo que ya sabes por qué te he hecho entrar en mi casa.

—Vuestro criado no me lo ha dicho…

—Pues porque me ha gustado mucho la canción que has cantado en la calle.

Simbad el porteador enrojeció de vergüenza.

—Bueno, en verdad no era más que una coplilla… —se disculpó.

—¡Nada de eso! —replicó Simbad el marino—. Era una canción muy hermosa, y además sé muy bien lo que sentías al cantarla, pues, aunque no lo creas, yo también fui pobre en el pasado.

—¿De veras? —dijo el porteador—. ¿Y cómo habéis llegado a ser tan rico?

Cuando el anciano iba a responder, los otros comensales[5] le rogaron al porteador que volviese a cantar su canción, a lo que el joven no pudo negarse. Su copla fue recibida con muchos aplausos, pero el mozo apenas les prestó atención, pues

---

5 **comensal**: persona que participa en una comida.

no hacía más que preguntarse cómo habría logrado Simbad el marino atesorar tantas riquezas.

—He ganado mi fortuna en siete grandes viajes —le explicó el anciano—. Si te quedas un rato con nosotros, te contaré cómo fueron, pues estos amigos han venido a que les explique la historia de mi vida. La conocen de sobras, pero nunca se cansan de escucharla.

—¡Es que es la historia más sorprendente del mundo! —dijo uno de los comensales.

—Ardo en deseos de escucharla —confesó Simbad el porteador, lleno de curiosidad.

De modo que Simbad el marino comenzó a contar su historia. Y dijo así:

Primer viaje.
La isla que cobró vida

Debéis saber que nací en esta ciudad de Bagdad y que disfruté de una infancia feliz y acomodada, pues mi madre me crió entre algodones y mi padre fue uno de los comerciantes más ricos de este reino. Sin embargo, tuve la desgracia de quedar huérfano a edad muy temprana, con lo que heredé las propiedades de mi familia mucho antes de que pudiera administrarlas como era debido. De haber hecho buen uso de ellas, me habrían bastado para vivir con holgura hasta el día de mi muerte, pero en mis años jóvenes tan solo pensaba en gozar de la vida, así que en muy poco tiempo derroché toda mi fortuna de fiesta en fiesta y de banquete en banquete.

Cuando quise darme cuenta, ya no me quedaban más que los muebles de mi casa, y entonces comencé a lamentarme. Recordé que mi padre solía decirme que en este mundo la muerte es preferible a la miseria, así que me dije entre lágrimas: «¡Eres un necio, Simbad! Llegarás a viejo convertido en mendigo, y entonces ¿quién querrá socorrerte?».

Aquel mismo día decidí dedicarme al comercio para recuperar la fortuna de mi familia. A la mañana siguiente subasté en el mercado los muebles de mi casa y, con los tres mil dinares[1] que obtuve, compré unas cuantas baratijas para comer-

---

1 **dinar**: moneda árabe de oro.

ciar con ellas y partí hacia Basora,[2] desde donde me embarqué en compañía de otros mercaderes con rumbo a los reinos misteriosos de Oriente.

Desde el primer día de nuestro viaje, los negocios nos fueron muy bien, pero mi destino se torció una mañana en que divisamos una pequeña isla en el horizonte. Al acercarnos a ella nos pareció tan hermosa que cuatro de nosotros le pedimos al capitán que nos permitiese desembarcar para contemplarla a nuestras anchas.

—Está bien —nos respondió—, pero recordad que a media tarde tendremos que zarpar o nos retrasaremos.

La isla era tan pequeña que la recorrimos de parte a parte en muy poco tiempo. Después, encendimos una hoguera para asar unas cuantas sardinas y nos sentamos a comer con calma. Un mercader de largos bigotes amenizó nuestro modesto banquete con la historia de un barbero muy hablador que cierto día había acudido a palacio para afeitar al califa. Durante más de dos horas, el barbero parloteó sobre los asuntos más diversos sin permitir que el califa pronunciase una sola palabra. Al cabo, el barbero se extrañó de que su cliente no dijese nada, así que trató de trabar conversación con él diciéndole: «Señor, yo sé afeitar de muchas maneras: ¿cómo queréis que os haga la barba?». El califa, cansado de la cháchara insoportable del barbero, lo miró con los ojos llenos de rabia y le respondió con un rugido de león: «¿Seríais capaz de hacérmela en silencio?».

La ocurrencia nos divirtió tanto que nos estuvimos riendo a carcajadas durante mucho rato, hasta que, de pronto, el capitán comenzó a gritarnos desde el barco:

2 **Basora** es una ciudad portuaria situada en el actual Irak a la que se dirigen las gentes de Bagdad para hacerse a la mar.

—¡Salid de ahí y regresad a bordo de inmediato!

Pensando que el buen hombre estaba de broma, le respondimos entre risas que se sumara a nuestro festín, pero su respuesta no pudo ser más inquietante:

—¡Os digo que volváis, o moriréis!

Aunque reaccionamos enseguida, ni siquiera nos dio tiempo a levantarnos, pues la tierra comenzó a temblar como un tigre enfurecido. Los frutos cayeron de los árboles, los troncos de la hoguera echaron a rodar y nuestros cuerpos se tambalearon como si nos golpeara un loco furioso. Al principio, pensamos que se había desatado un terremoto, pero el capitán nos reveló que lo que estaba ocurriendo era algo muy distinto:

—¡Eso no es una isla! —gritó con todas sus fuerzas—. ¡Es una ballena!

Ya lo habéis oído: no habíamos desembarcado en tierra firme sino en el lomo de un pez gigantesco que debía de llevar inmóvil muchos años, a juzgar por el manto de arena que cu-

19

bría su cuerpo y por los árboles que habían arraigado[3] en el arco de su espalda. El calor de nuestra hoguera lo había despertado de pronto, y ahora se sacudía con todas sus fuerzas como un muerto que regresa de repente a la vida. Los cuatro que habíamos desembarcado echamos a correr hacia el navío,[4] pero, cuando estábamos a punto de subir a bordo, la ballena se zambulló en el agua y levantó un poderoso remolino que nos arrastró hacia el fondo del mar.

—¡Socorro! —gritamos—. ¡Ayudadnos o nos ahogaremos!

Desde el barco nos lanzaron varios cabos,[5] pero las fuertes corrientes nos impidieron llegar hasta ellos. Mis tres compañeros perecieron ahogados, y solo yo pude salvar la vida gracias a que el tronco de un árbol se cruzó en mi camino. Aferrado a él, seguí gritando para que me salvaran, pero las olas me habían llevado tan lejos del barco que nadie pudo oírme. El capitán pensó que los cuatro habíamos muerto, así que mandó desplegar las velas y prosiguió el viaje.

Aquella fue la noche más larga de mi vida. Agarrado al tronco, me dejé llevar por las olas, remando de vez en cuando con las manos y los pies. El esfuerzo me dejó tan agotado que hacia el amanecer me dormí. Desperté a media mañana, y entonces descubrí con alegría que las corrientes me habían empujado a tierra firme. Sacando fuerzas de flaqueza, conseguí trepar por el acantilado que se alzaba ante mis ojos, pero al llegar arriba me derrumbé de puro cansancio.

Tres largos meses pasé en aquella isla desierta, alimentándome de las bayas[6] que daban los arbustos y bebiendo el agua

---

3 **arraigar**: echar raíces.
4 **navío**: barco.
5 **cabo**: cuerda que se usa en los barcos para atar las velas y otros fines.
6 **baya**: fruto pequeño que dan algunas plantas silvestres.

turbia de un arroyo. Todas las noches daba gracias a Alá[7] por permitirme seguir con vida, pero en verdad mi corazón estaba lleno de tristeza. «Si te hubieras quedado en Badgad», me decía entre lágrimas, «no te verías ahora en esta dolorosa situación, pero querías conocer tierras lejanas, y ya ves en qué ha parado tu deseo. Pobre Simbad, ¡nunca más volverás a ver tu tierra!».

Por fin, una mañana sucedió algo que habría de cambiar mi destino. En medio de un bosquecillo descubrí la silueta de un animal que al principio me pareció una fiera salvaje, por lo que me alejé con sigilo[8] para no llamar su atención. Pero la curiosidad pudo conmigo, así que volví a acercarme de puntillas y entonces me percaté de que no era más que una yegua. Sus crines estaban tan limpias y parecían tan suaves que sentí unas ganas enormes de acariciarlas. Para no asustar al animal, me aproximé poco a poco y, cuando lo tuve a mi alcance, le rocé la cabeza con la yema de los dedos.

—¡Qué hermosa eres! —le dije, como si fuera capaz de entenderme.

Justo entonces, oí un grito a mi espalda y el corazón me dio un vuelco en el pecho.

—¡Alto ahí! ¿Qué es lo que haces?

Cuando me di la vuelta, descubrí frente a mí a un joven alto y muy bien vestido.

—Solo pretendía acariciarla —dije—. No quería hacerle ningún daño.

—Entonces, ¿para qué demonios has venido hasta aquí?

Imaginaos cuántas cosas me pasaron por la cabeza en aquel instante. Hasta entonces había pensado que me encontraba

---

7 **Alá** es el nombre que los musulmanes dan a Dios.
8 **con sigilo**: lentamente y sin hacer ruido.

en una isla desierta, y de pronto un extraño surgía de la nada y empezaba a pedirme explicaciones.

—Me llamo Simbad —dije—, y naufragué en esta isla hace algunos meses. Pensé que aquí no vivía nadie.

Como mis palabras le convencieron, el joven se volvió de pronto mucho más amable.

—Lamento haberte asustado —dijo—: has de comprender que esa yegua es muy valiosa.

—Me hago cargo —contesté—. Lo que no entiendo es por qué la has abandonado aquí.

—Ahora no puedo explicártelo, pero si vienes conmigo lo sabrás.

El joven me condujo a una cueva subterránea en la que otros hombres de su misma edad almorzaban alrededor de una hoguera. Uno de ellos me dijo que podía comer lo que me apeteciese, así que me uní al corro y devoré cuanto había al alcance de mis manos. Al acabar la comida, me sentí tan animado que empecé a hacer preguntas sin parar:

—¿Y vosotros quiénes sois? —dije—. ¿Vivís en esta cueva? ¿Por qué habéis dejado la yegua en el bosquecillo? ¿Acaso no es vuestra? ¿O es que queréis castigarla por algo?

Mis acompañantes se echaron a reír.

—¡Por Alá que tu curiosidad es tan grande como tu apetito! —me dijo uno de ellos, y sus palabras me hicieron sonrojar.

—Somos los palafreneros[9] del rey Miraján —me explicó otro.

Yo saltaba de sorpresa en sorpresa.

—¿Pero es que aquí hay un reino? —pregunté.

—Así es, pero queda en el otro extremo de la isla.

---

9 **palafrenero**: criado que cuida de los caballos de su señor.

—Entonces, ¿qué hacéis por esta parte?

—Verás: cada mes, coincidiendo con la luna llena, traemos hasta aquí a las yeguas de nuestro rey, las atamos en el bosque y nos escondemos en cuevas como ésta. En la playa donde naufragaste vive un feroz caballo marino que, en cuanto huele a las hembras, sale del agua para unirse a ellas como el esposo lo hace con la esposa. ¿Entiendes?

Todos se echaron a reír, y luego otro de los jóvenes agregó:

—Al cabo de unos meses, las yeguas dan a luz a unos caballos que son los más veloces y bellos del mundo.

—Y ahora estáis esperando a que el caballo salga y monte a las yeguas… —dije.

—Así es, y debemos estar muy alerta, pues el instinto de esa fiera lo impulsa a comerse a las hembras después de fecundarlas.[10] Así que, en cuanto se una a ellas, saldremos de aquí dando gritos para espantarlo.

—¿Y después?

—Después nos llevaremos a las yeguas de vuelta a la ciudad. Supongo que querrás acompañarnos.

Por supuesto que quería. Aquella misma tarde partimos hacia las tierras del rey Miraján, quien quedó conmovido por mi historia y me dispensó todo tipo de honores.

—Para que veas que somos gente hospitalaria[11] —me dijo—, desde hoy mismo tendrás casa y trabajo en mi reino.

En los meses que siguieron trabajé en el puerto de la ciudad, inventariando[12] las mercancías de los barcos que arribaban. Por las tardes, asistía a las tertulias del rey, quien me trató siempre como a un hermano. Pero yo no dejaba de pen-

---

10 **fecundar**: dejar embarazada a una hembra.
11 **hospitalaria**: amable con los forasteros y los invitados.
12 **inventariar**: hacer una lista de todas las cosas que hay en un lugar.

sar en Bagdad, así que día tras día interrogaba a los capitanes de todos los barcos con la esperanza de que alguno viajara hacia mi patria. Por desgracia, la mayoría ni siquiera sabían dónde estaba Bagdad, pero un día, cuando me aprestaba a inventariar la mercancía de un barco, oí por fin de labios de su capitán el nombre de mi querida ciudad.

—Solo llevo un par de fardos y no son para vender —me dijo—, pues pertenecen a un pobre comerciante que murió ahogado hace algún tiempo. Me los dio en depósito el capitán del barco donde viajaba el difunto para que se los entregue a su familia cuando llegue a Bagdad.

—¿De veras vais a Bagdad? —dije.

—Así es —me respondió el capitán.

Entonces tuve un presentimiento.

—¿Y sabéis...? —dije con voz temblorosa—, ¿sabéis cómo se llamaba el marinero que se ahogó?

—Ahora mismo no lo recuerdo, pero su nombre está escrito en sus fardos. Míralo tú mismo si quieres: los encontrarás en la popa.[13]

Eché a correr hacia los fardos y, cuando descubrí mi nombre en ellos, empecé a saltar de alegría.

—¡Estos fardos son míos! —exclamé—. ¡Yo soy Simbad!

El capitán reaccionó con enfado:

—No digas tonterías —me replicó—: Simbad está muerto y bien muerto.

—Nada de eso —insistí—. Os juro que soy Simbad y que viajaba en el barco donde os entregaron estos fardos. Estuve a punto de ahogarme junto a otros tres marineros, pero logré aferrarme a un tronco y llegar a esta isla.

13 **popa**: la parte trasera de un barco.

El capitán se puso rojo de ira.

—¡Por todas las mezquitas de Arabia! —gritó—. Pero ¿es que ya no quedan personas honradas en este mundo? ¿No se te ocurre nada mejor que robarle a un muerto?

—¡Os aseguro que soy Simbad!

—¡Tú no eres más que un maldito ladrón! ¡Lo que quieres es vender esos fardos y quedarte con el dinero! ¿Es que no te importa la familia del pobre Simbad? ¡Apártate de mi vista o te llevarás una buena tanda de azotes!

Repetí mil veces que mi nombre era Simbad, pero el capitán se negó a creerme. No me quedaba más remedio que demostrar de algún modo que aquellos fardos eran míos.

—Escuchadme —le dije al cabo—: voy a darme media vuelta mientras abrís uno de los fardos, y os enumeraré con detalle todo lo que hay en él.

Aunque a regañadientes, el capitán aceptó mi propuesta, pero exigió que además de ponerme de espaldas me vendase los ojos, pues no se fiaba en absoluto de mí.

—Estoy abriendo el mayor de los fardos —me dijo luego—. Ahora dime lo que hay en él sin equivocarte ni una sola vez o te echaré del barco de una patada.

Perdido en la tiniebla, yo respiré hondo y respondí:

—Capitán, el fardo grande contiene una manta de pelo de cabra, dos tapices de ramos, una tienda de campaña que me vendió un mercader de Bagdad, un frasco de agua de rosas, cuatro pañuelos rojos, tres jarros de bronce, un par de babuchas[14] de cuero, diez ramitas de canela de la India y un cofrecillo del tamaño de un puño.

El capitán se quedó de piedra.

---

14 **babuchas**: zapatillas de cuero sin talón típicas de los árabes.

—¡Por todos los mosquitos de Egipto! —exclamó—. ¡Eso es justamente lo que hay en el fardo!

Seguro de mi victoria, yo añadí entonces:

—Esperad, capitán, que aún no os he dicho lo que contiene el cofrecillo. Si me equivocara, tendríais derecho a negarme los fardos.

De modo que le expliqué que dentro del cofre había tres perlas negras, un cascabel de plata y un anillo de oro en que podía leerse: «No hay gloria ni poder sino en Alá».

—¡Desde luego que estos fardos son tuyos! —me dijo el capitán—. Y, puesto que te he ofendido al dudar de tu palabra, pídeme el favor que desees y te lo concederé.

Como es natural, le pedí que me llevara a Basora, y aquella misma tarde me despedí del rey Miraján. Para agradecerle lo bien que me había tratado, quise regalarle las mercancías que acababa de recuperar, pero él se negó a aceptarlas. Es más: el rey me entregó un valioso cargamento de sándalo y nuez moscada[15] que vendí a buen precio al volver a Bagdad, lo que me permitió regresar a casa convertido en un hombre rico.

«Bien está lo que bien acaba», me dije. «Nunca más volveré a abandonar Bagdad».

Pero todos sabéis cuánto me engañé.

---

15 **sándalo**: árbol parecido al nogal de madera muy olorosa; **nuez moscada**: fruto de una planta llamada mirística que se emplea como condimento.

Segundo viaje.
El ave roc

El dinero que había conseguido en mi primer viaje me habría bastado para vivir con holgura hasta el fin de mis días sin tener que emprender nuevos negocios, pero el deseo de viajar hacia tierras lejanas prendió de nuevo en mi rebelde corazón. Recuerdo que cierto día estaba charlando con unos amigos sobre las cosas que más nos gustaban en este mundo cuando sentí con más fuerza que nunca el ansia de embarcarme.

—¿Y a ti, Simbad? —me preguntaron—, ¿qué es lo que más te gusta en esta vida?

Yo no tuve que pensarlo dos veces. Me quedé mirando el río a través de la ventana, y dije con voz firme:

—Lo que más me cautiva en este mundo es el mar.

A los pocos días ya me había embarcado con rumbo a Oriente. En una de las primeras jornadas de nuestra travesía,[1] le expliqué al capitán la historia de mi primer viaje, y al buen hombre le extrañó tanto que me hubiera embarcado por simple amor al mar que no dudó en hacerme una advertencia:

—Simbad, Simbad —me dijo—, no olvides nunca que quien busca el peligro en él perece.

En los días que siguieron, sin embargo, me resultó muy difícil pensar en ningún peligro, pues las cosas me fueron a las

---

1 **travesía**: viaje por mar.

mil maravillas. Durante el día, los comerciantes del barco vendíamos nuestras mercancías en los puertos, y de noche nos contábamos cuentos a la luz de la luna para pasar el rato hasta la hora de dormir. Como a mis compañeros les encantaba la historia de mi primer viaje, yo la repetía casi todas las noches, y, siempre que el capitán me oía relatarla, me regañaba con una sonrisa:

—Simbad, Simbad —me decía—, no olvides nunca que quien busca el peligro en él perece.

Así fueron pasando los días, y con los días las semanas, hasta que una mañana avistamos² una isla llena de árboles y pájaros de brillantes colores que sería la causa de mi perdición. Como llevábamos varios días en alta mar, le rogamos al capitán que nos dejase descansar un rato en la isla, donde nos dimos un buen banquete. Luego, sentí que se me cerraban los párpados, por lo que decidí buscar tierra adentro un lugar sombreado en el que echar la siesta.

Cuando me desperté, el sol había empezado a esconderse detrás del horizonte. «¡Dios mío!», me dije. «¡Me he quedado dormido!». Dominado por la angustia, eché a correr hacia la playa mientras llamaba a gritos a mis compañeros. Sin embargo, nadie respondió, y, al llegar a la orilla, comprobé con desesperación que el barco había zarpado sin mí. Mis compañeros no debían de haberse percatado de mi ausencia, y el capitán había partido a la hora prevista. «¡Maldito Simbad!», me dije con rabia. «¿Quién te mandaba salir de tu casa? ¿Por qué no te conformaste con lo que ya tenías? ¿Acaso no llevabas una vida cómoda en Bagdad? Entonces, ¿por qué demonios tentaste a la suerte?».

---

2 **avistar**: ver una cosa que se encuentra lejos.

Me pasé la noche llorando, pero al amanecer comprendí que las lágrimas no iban a salvarme, y desde aquel momento me esforcé por encontrar un modo de escapar de la isla. Para obtener una visión completa del lugar, trepé a lo más alto de una palmera, pero por todos lados vi lo mismo: el azul del cielo, la línea del horizonte marino y el manto verde de las hojas de los árboles. Sólo en la otra punta de la isla divisé una altura de un color diferente: era una cúpula tan alta como el minarete de una mezquita[3] y más blanca que la leche espumosa de las camellas del desierto.

«¿Quién habrá construido ahí?», me dije.

Decidido a salir de dudas, caminé hacia la cúpula, y no tardé demasiado en descubrir que aquella construcción era aún más impresionante mirada de cerca que vista de lejos. Tenía la forma de un gran huevo, carecía de puertas y era tan lisa y suave que habría resultado imposible escalar por ella. Admirado por su tamaño, sentí curiosidad por saber cuánto mediría, de manera que hice una señal en tierra y comencé a caminar alrededor de la cúpula mientras iba contando mis pasos. «¡Cincuenta!», dije al acabar.

Aún no había logrado salir de mi asombro cuando de repente oscureció. «¡Qué raro!», pensé. Era demasiado pronto para que anocheciera, y hacía un instante no había una sola nube en el cielo. Parecía como si el sol se hubiese apagado de pronto, y solo al mirar hacia arriba comprendí lo que estaba pasando en realidad: el sol seguía en el centro del cielo, pero había quedado oculto tras una enorme figura que sobrevolaba la tierra.

---

3 **cúpula**: tejado de un edificio que tiene forma redondeada; **minarete**: torre desde la que se llama a la oración en un templo musulmán (**mezquita**).

Era el pájaro más grande que había visto en mi vida: tenía el cuerpo del tamaño de un navío, unas alas enormes como velas de barco y un pico del grosor del tronco de una palmera. Presa del miedo, corrí a esconderme entre los árboles, y desde allí vi cómo el pájaro tomaba tierra, se acomodaba sobre la cúpula y se echaba a dormir. Entonces lo entendí todo: lo que me había parecido una construcción era en verdad un huevo de grandes dimensiones que el pájaro incubaba. «¡Es un ave roc!», me dije, recordando que en cierta ocasión había oído hablar a unos viajeros acerca de un pájaro gigantesco que alimentaba a sus polluelos con elefantes y que recibía el nombre de ave roc. También me habían explicado que la carne de aquella bestia alada rejuvenece a quien la prueba y devuelve su color natural al cabello blanco de los ancianos.

Aquella noche no logré dormir, pues temía que el pájaro me descubriera y me diese caza. Pero mi vigilia no fue inútil. Dediqué las horas a idear un modo de escapar de la isla, y al ca-

bo comprendí que el ave
roc podía ayudarme a con-
seguir mis propósitos. Mi
plan era sencillo: me até
con el turbante a una de
sus patas mientras el pájaro dormía y luego esperé a
que el ave roc despertase,
pues pensaba que me lle-
varía consigo cuando saliera volando de la isla.

Las cosas salieron se-
gún lo previsto, y, cuando
amaneció, me alejé de la
isla atravesando los aires.
Al principio, temí que el ave
roc advirtiese que viajaba
amarrado a una de sus ga-
rras, pero se trataba de un
temor absurdo, ya que un
hombre era tan poca cosa
para aquel pájaro desco-
munal como una hormiga
al lado de un camello. No
obstante, ni a mi más fiero
enemigo le desearía el miedo que pasé aquel día, pues
el ave roc voló tan alto que
más de una vez creí que cho-
caríamos contra el techo del
mundo.

Cuando el ave roc tomó tierra, me apresuré a desatarme de su pata y eché a correr buscando un refugio. «Ya ha pasado lo peor», me dije, sin advertir que en realidad había escapado del fuego para caer en las brasas. Era terrible: ¡el ave roc me había dejado en el fondo de un valle rodeado de altísimas montañas! «¿Se puede saber cómo demonios vas a salir de aquí?», me dije, irritado conmigo mismo. «Al menos en la isla había frutos y agua con los que sobrevivir. En cambio, ¿dónde vas a encontrar alimentos en este yermo dejado de la mano de Dios?».

Pronto observé que el valle era tan pobre en vegetación como abundante en riquezas. Por todas partes había diamantes descomunales que parecían crecer de la tierra, pero no era prudente detenerse a mirarlos, pues las serpientes eran allí tan comunes y gigantescas como los diamantes. Cuando vi a la primera, sentí en la espalda un escalofrío de terror, pero, gracias a Alá, la serpiente pasó de largo, pues la mayoría de los reptiles solo cazan de noche.

Por eso mismo, tenía que encontrar un escondrijo donde ocultarme cuando saliera la luna. A última hora del día di con una cueva que me pareció segura, así que entré en ella, bloqueé la entrada con unas rocas y me acurruqué en un rincón para dormir. Sin embargo, la calma me duró muy poco, pues, cuando mis ojos se acostumbraron a la oscuridad, comprendí aterrado que me había metido en la madriguera de una gran serpiente. Por suerte, se encontraba dormida, pero no estaba seguro de que siguiera así por mucho tiempo. «Ojalá esa fiera no abra los ojos», me decía una y otra vez. Y, rogándole a Dios que se apiadara de mí, pasé despierto toda la noche.

Al salir el sol, abandoné la cueva con sigilo y eché a caminar sin rumbo cierto. Me alegraba de haber escapado de la

serpiente, pero estaba tan agotado tras dos noches sin dormir que caminaba tambaleándome como un borracho. Al cabo, topé con algo y eché a rodar por los suelos. Al levantarme, descubrí que había tropezado con el cadáver de un ternero recién despellejado. «¿De dónde habrá salido?», me dije. Dado que el valle parecía deshabitado, no me entraba en la cabeza que alguien hubiese llevado una res[5] hasta allí y le hubiese arrancado la piel sin más propósito que abandonarla en medio del camino.

Tras darle muchas vueltas al asunto, acabé por recordar cierta historia que había oído algunos años atrás. Se decía que en un lugar remoto del mundo existía un valle lleno de diamantes, pero que era tan profundo que nadie podía bajar a buscarlos. Sin embargo, unos cuantos mercaderes habían ideado un ingenioso ardid[6] para hacerse con ellos: llevaban vacas hasta las cimas que rodeaban el valle y, tras matarlas y despellejarlas, las echaban a rodar ladera abajo, de modo que, cuando las vacas llegaban al fondo, los diamantes quedaban adheridos a su carne recién sacrificada. Luego, los mercaderes esperaban a que un gran pájaro que vivía en el valle se llevara a las vacas entre sus garras para alimentar con ellas a sus polluelos, y entonces aquellos osados comerciantes se metían con mucho sigilo en el nido del pájaro y rescataban los diamantes a toda prisa.

No tardé en comprender que aquel ternero era mi única esperanza. Tras echarme un buen puñado de diamantes al bolsillo, me até con mi turbante bajo su vientre y me puse a esperar, y al poco rato ocurrió lo que había previsto: un ave roc

5 **res**: animal de cuatro patas que se cría o se caza para comer.
6 **ardid**: estratagema, artimaña.

se abalanzó sobre el ternero y echó a volar llevándome sin querer entre sus garras. Atenazado por el miedo, cerré los ojos mientras sobrevolábamos el valle, y tan solo volví a abrirlos cuando ya me encontraba en el nido del ave roc.

«Gracias a Alá», me dije, creyendo que por fin me hallaba a salvo de todos los peligros.

Pero, justo entonces, oí a mis espaldas unos grandes gritos que me erizaron la piel. Por lo visto, tampoco el ave roc se los esperaba, a juzgar por la rapidez con que echó a volar hasta perderse a lo lejos.

—¡Corred, corred! —oí entonces—. ¡Hay que coger los diamantes a toda prisa!

Al instante, se presentaron en el nido tres hombres que eran sin duda los mercaderes que habían arrojado al ternero por la ladera. Cuando los vi, corrí a abrazarlos, pero los pobres se asustaron tanto que huyeron muertos de miedo. Y no era para menos, pues llevaba el cuerpo empapado de sangre de vaca, lo que me daba la apariencia de un fantasma recién llegado del otro mundo.

—¡No temáis —les grité—, soy un hombre de paz!

Al oír aquellas palabras, los tres mercaderes asomaron la cabeza por detrás de una roca.

—¿Pero de dónde has salido, por Alá? —me dijeron.

Cuando aquella noche les conté lo que me había ocurrido, les costó mucho creerme. Consideraron una locura que me hubiera atrevido a atarme a las garras de un ave roc, y se les erizó la piel al pensar que había pasado toda una noche en la madriguera de una serpiente. Conmovidos por mis sufrimientos, me invitaron a acompañarles en su viaje de regreso, pues dos de ellos eran de Bagdad. Yo quise agradecerles la ayuda entregándoles los diamantes que había recogido del valle, pe-

ro ellos se negaron a aceptarlos. En el camino de vuelta, visitamos una isla poblada de árboles tan frondosos que a la sombra de cada uno de ellos caben más de cien hombres, y allí vi por vez primera al karkadán. No sé si habréis oído hablar de él: es una especie de camello que tiene un gran cuerno en la nariz, con el que ataca a los elefantes y los atraviesa de costado a costado.

Pero no quiero aburriros con más detalles. Solo os diré que, al cabo de muchos meses de viaje, regresé a Bagdad cargado con una rica mercancía de piedras preciosas. El hombre que me las compró en el zoco[7] no había visto jamás unos diamantes tan grandes, y quedó tan maravillado con ellos que no dudó en pagármelos a un precio desorbitado. Gracias a eso, pude construirme esta hermosa mansión, donde llevé durante algún tiempo una vida de rey.

---

7 **zoco**: mercado.

Tercer viaje.
El gigante de un solo ojo

Poco después de vender los diamantes del valle de las serpientes, me enamoré de una mujer sabia y hermosa con la que decidí casarme. Por entonces tenía todo lo que un hombre puede desear para ser feliz, pero el Corán[1] dice que el espíritu nos aboca a menudo hacia el abismo, y yo puedo probaros que es verdad. Lejos de conformarme con la vida que llevaba, todos los días sentía la tentación de embarcarme de nuevo, pues echaba de menos el rumor de las olas y las brisas del mar. En los dos meses siguientes a mi boda, traté por todos los medios de olvidarme de aquel deseo que tantas desventuras me había ocasionado, pero al final el espíritu de la aventura fue más fuerte que yo, así que una mañana me despedí de mi querida esposa y me puse otra vez en camino.

Por lo visto, a Alá no le agradó aquella decisión, pues en mi tercer viaje sufrí tantas desventuras como en los dos anteriores. A causa de una tormenta que se desató a los cuatro días de mi partida, el barco en que viajaba perdió de pronto el rumbo. Cuando volvió la bonanza,[2] lancé un suspiro de alivio, pero el rostro descompuesto del capitán me hizo comprender que aún era pronto para cantar victoria.

---

1 El **Corán** es el libro sagrado de los musulmanes, en el que se recogen todos los preceptos de la religión islámica.
2 **bonanza**: tiempo tranquilo, que deja la mar en calma.

—¿Qué es lo que ocurre? —le pregunté, pero el pobre hombre ni siquiera me oyó. Con la vista clavada en el horizonte, permanecía absorto en sus pensamientos y se mordía las uñas de puro nervioso. Sin embargo, antes del mediodía supe toda la verdad. Acabábamos de descubrir el perfil de una isla en el horizonte cuando el capitán empezó de pronto a mesarse las barbas[3] y a llorar como un niño.

—¿Qué os pasa? —le preguntamos, temiéndonos que se hubiera vuelto loco.

El capitán nos señaló la isla que acababa de asomar por el horizonte y nos dijo que las corrientes del mar iban a empujarnos sin remedio hacia ella.

—¿Y qué hay de malo en eso? —dije.

—Pues que en esa isla —respondió el capitán— vive una legión de monos salvajes de los que nadie ha logrado escapar con vida. En cuanto alguien se acerca a la costa, se enfurecen y lo matan sin piedad.

Un marinero con fama de valentón propuso que le plantáramos cara a los monos, pues estaba seguro de que entre todos podríamos acabar con ellos, pero el capitán replicó a voz en grito:

—¡Si les plantamos cara, nos matarán en un abrir y cerrar de ojos!

—Entonces, ¿qué debemos hacer? —pregunté.

El capitán me miró con tristeza.

—Rezar, Simbad, rezar —fue todo lo que dijo.

Al poco, las corrientes nos arrastraron hasta la costa, donde echamos el ancla para que el barco se mantuviera quieto y no llamara la atención de los monos. Nuestra única esperan-

---

3 **mesarse las barbas**: arrancárselas en señal de desesperación.

za era que los vientos girasen pronto y nos llevaran de nuevo a alta mar antes de que aquellas fieras se percataran de nuestra presencia. Pero la suerte no quiso acompañarnos. Estaba atardeciendo cuando los monos comenzaron a subir a cubierta. Eran los bichos más espantosos que podáis imaginaros: tenían el cuerpo cubierto por un espeso pelo rojo y, aunque solo nos llegaban a la altura del pecho, sentimos tanto miedo al verlos que nadie se atrevió a dar un solo paso. En un abrir y cerrar de ojos, unos doscientos monos treparon al barco por la cuerda del ancla y se dispersaron por todas partes con asombrosa agilidad. Unos subieron a los mástiles[4] y desgarraron las velas, otros lanzaron nuestros víveres por la borda, y los más fuertes se dedicaron a golpear la cubierta con los puños hasta hacerla pedazos. Luego, entre dos o tres royeron el cabo del ancla, lo que dejó el barco a merced de las olas. Las corrientes nos empujaron con fuerza hacia los acantilados de la isla y, antes de que pudiéramos darnos cuenta, el casco del navío reventó contra las rocas. Una gran cantidad de monos murieron aplastados, lo mismo que la mayoría de mis compañeros, pero unos pocos hombres logramos salvarnos nadando hasta la orilla.

Pronto nos dimos cuenta de que las corrientes nos habían llevado a una isla que no era la de los monos, sino otra que parecía deshabitada. Al día siguiente, sin embargo, divisamos una torre desde lo alto de una loma, y enseguida nos pusimos en camino hacia allí, pues pensamos que sus habitantes no dudarían en prestarnos ayuda. Cuando llegamos al pie de la torre tras todo un día sin dejar de andar, descubrimos que el edificio formaba parte de una gran fortaleza.

---

4 **mástiles**: palos que sostienen las velas de los barcos.

—¿Por qué no entramos? —nos dijimos, sin sospechar ni por un instante el grave peligro que nos amenazaba.

A través de un oscuro pasillo llegamos hasta un gran salón rodeado de columnas, en cuyo centro hervía una olla de grandes dimensiones.

—Desde luego, no se puede decir que aquí pasen hambre —rió uno de mis compañeros.

Yo, en cambio, no me mostré tan confiado. Desperdigados por el suelo del salón había cientos de huesos que me llenaron de inquietud y, al mirarlos con detenimiento, sentí que un escalofrío de terror me recorría la espalda.

—¡Son huesos de seres humanos! —grité—. ¡Hay que marcharse de aquí enseguida!

Aterrados por aquel descubrimiento, mis compañeros echaron a correr, pero, antes de que pudiéramos escapar, comenzamos a oír unos grandes pasos que hacían temblar la tierra. Entonces nos ocultamos a toda prisa por los rincones del salón, y desde nuestros escondrijos vimos entrar a un gigante que nos dejó petrificados de miedo. Tenía un solo ojo en mitad de la frente, unas orejas grandes como mantas y unos dedos parecidos a troncos que podían despedazar a un hombre con una simple caricia. Cuando aquel engendro[5] nos vio, comenzó a gruñir como si le molestase mucho encontrarnos en su casa. Sin pensarlo dos veces, echamos a correr hacia la puerta, pero el gigante había tomado la precaución de cerrarla al entrar, de modo que no había escapatoria.

Tras echarnos un vistazo rápido a todos, el monstruo fijó en mí aquel ojo enorme que llameaba como una hoguera, me atrapó por la ropa con una de sus enormes manos y me levan-

---

5 **engendro**: monstruo.

tó en vilo. Estaba claro que pretendía convertirme en su cena de aquella noche, por lo que comencé a suplicarle que me soltara:

—¡Déjame vivir, por favor! —le decía.

Aunque mis ruegos no le conmovieron, el gigante acabó por arrojarme al suelo con un gesto de disgusto: había clavado su ojo en el capitán de nuestro barco, que era un hombre corpulento y entrado en carnes, y sin duda le había parecido mucho más apetitoso que yo. El pobre fue el primero de los seis compañeros a los que el gigante devoró sin piedad aquella noche.

Después de su cena, el monstruo se tumbó a dormir sobre los huesos de sus víctimas mientras nosotros buscábamos con desesperación alguna manera de escapar de su casa. Sin embargo, aún seguíamos allí cuando nuestro enemigo despertó al amanecer. Aterrorizados al pensar que íbamos a servirle también de desayuno, nos abrazamos los unos a los otros como si eso pudiera protegernos; pero el gigante ni siquiera nos miró, sino que salió por donde había venido y nos dejó a solas en su casa. Por fortuna, en aquella ocasión no cerró la puerta, y eso nos permitió escapar a toda prisa hacia el exterior. Pero, ¿de qué nos serviría huir? En realidad, no había un solo lugar en la isla en que pudiéramos hallarnos a salvo de aquel monstruo.

—Vendrá a por nosotros en cuanto se le despierte el apetito —nos dijimos—. O nos hacemos a la mar, o ninguno de nosotros vivirá para contarlo.

Se nos ocurrió que lo mejor era dirigirnos a la playa y construirnos unas balsas con juncos. Hacia el mediodía ya habíamos concluido nuestra tarea, pero entonces el gigante sintió hambre y reapareció de pronto en la playa, atrapó a tres de mis compañeros y los devoró en un abrir y cerrar de ojos. Tras el banquete, el monstruo sintió un sueño repentino, bostezó con su boca descomunal y se tumbó a dormir sobre las balsas, con lo que echó a perder nuestro plan de huida.

—A menos que acabemos con el gigante, nunca saldremos de esta isla —les dije a mis compañeros.

—Pero, ¿qué podemos hacer? —me respondieron.

Dediqué un buen rato a pensar en el asunto, y al cabo se me ocurrió una buena idea. Cuando se la comuniqué a mis compañeros, decidieron ponerla en práctica enseguida. Mientras algunos de nosotros encendíamos una hoguera en la playa, otros regresaron a la fortaleza del gigante en busca de unos grandes hierros que habíamos visto en el salón de su castillo, y que el monstruo usaba sin duda para ensartar a sus víctimas y asarlas al fuego.

Cuando mis compañeros volvieron con los asadores, los dejamos sobre la hoguera hasta que se pusieron al rojo vivo, y entonces nos acercamos con ellos en silencio hasta el gigante, que seguía durmiendo, y se los clavamos con toda nuestra fuerza en su único ojo. Desesperado por el dolor, el monstruo se levantó de un salto y lanzó un gran alarido que retumbó en toda la isla. Con la intención de aplastarnos, comenzó a dar pisotones en medio de las tinieblas mientras nosotros recuperábamos las balsas y nos hacíamos a la mar.

—¡Estamos salvados! —gritó uno de mis compañeros.

Pero era pronto para cantar victoria, pues, al mirar atrás, descubrimos con horror que el gigante no estaba solo en la isla. Una mujer de su mismo tamaño, que debía de ser su esposa, asomó por entre las copas de las palmeras babeando de rabia y lanzando unos gritos desaforados capaces de aterrar al más valiente. Por un momento creímos que se adentraría en el mar y nos aplastaría bajo su peso, pero debía de tenerle miedo al agua, pues se limitó a atacarnos desde tierra arrojándonos unas grandes rocas. Por desgracia, su buena puntería acabó por hundir todas nuestras balsas, a excepción de la que nos llevaba a mí y a otros dos compañeros.

Aquella noche, la furia de la naturaleza nos convirtió en un juguete del viento. «Vamos a naufragar», pensé. Pero al amanecer divisamos un islote poblado de árboles y logramos alcanzarlo a nado. Cuando llegamos a la playa, nos creímos a salvo de la muerte, aunque lo cierto era que nuestra pesadilla no había hecho más que comenzar. Por miedo a que en el interior de la isla hubiera fieras salvajes, decidimos pasar aquella primera noche en la misma playa, pero, apenas conciliamos el sueño, un grito aterrador nos despertó.

—¡Socorro, socorro! —decía uno de mis compañeros.

Cuando abrí los ojos, descubrí a contraluz de la luna que una serpiente gigantesca estaba tragándose a mi pobre amigo. Mi otro compañero y yo quisimos ayudarle, pero, ¿qué podíamos hacer? Paralizados por el miedo, nos convertimos en

inútiles espectadores de la muerte de un hombre, que desapareció poco a poco entre las poderosas fauces de la serpiente.

—¡Ahora vendrá a por nosotros! —exclamé.

Sin embargo, nuestra brutal enemiga se marchó sin ni siquiera mirarnos. Aun así, pensamos que lo mejor era escapar de la isla cuanto antes, pero, al llegar a la orilla, descubrimos que las olas se habían llevado nuestra balsa mar adentro.

—¡Maldita sea! —exclamé.

Alá nos sometía a una prueba difícil, pero no quisimos darnos por vencidos. A la luz de la luna, atamos unos cuantos juncos con tallos, y al amanecer ya contábamos con una nueva balsa. Nuestra intención era zarpar de inmediato, pero el mar estuvo tan revuelto durante todo aquel día que no nos atrevimos a abandonar la playa.

—Tendremos que pasar una segunda noche aquí —nos dijimos con el corazón lleno de angustia.

Eso sí, tomamos la precaución de buscar un refugio donde dormir. Como no dimos con ninguna cueva, decidimos pasar la noche en la copa del árbol más alto que encontramos, pensando que así la serpiente no daría con nosotros. Pero, apenas cerré los ojos, un grito rasgó la noche.

—¡Socorro, socorro! —oí.

La serpiente nos había descubierto, y el cuerpo de mi amigo ya desaparecía entre sus fauces.

—¡Por lo que más quieras, haz algo! —repetía mi compañero—. ¡Ayúdame, por favor! ¡No quiero morir!

Aunque intenté trazar un plan a toda prisa, sólo se me ocurrió ponerme a rezar, así que mi amigo acabó devorado y yo me quedé solo y sin esperanzas en aquella isla maldita.

Cuando la serpiente se marchó, decidí hacerme a la mar en la balsa, pero la fiereza del temporal me lo impidió. Para mi

desgracia, al día siguiente las olas aún se volvieron más altas y poderosas, lo que me obligó a permanecer en tierra. «¡Prefiero morir a vivir así!», me dije. En la isla ya no quedaba más ser humano que yo, así que la serpiente vendría a por mí en cuanto cayera la noche. «¿Qué puedo hacer?», pensé. Tras barajar un buen puñado de ideas, decidí construirme una especie de ataúd con los juncos de la balsa y meterme en él para que la serpiente no pudiera encontrarme.

Cuando salió la luna, ya me había encerrado, pero la fiera tenía buen olfato, y muy pronto consiguió dar conmigo. Como ardía en deseos de devorarme, comenzó a golpear con el hocico mi ataúd de muerto en vida para hacerlo pedazos. La caja resistió muy bien los embates, pero la serpiente no quiso renunciar a su comida, y acabó por tragarse el ataúd conmigo dentro.

«Ha llegado el final», me dije entre lágrimas, convencido de que ya nada podría librarme de la muerte.

Sin embargo, de pronto recobré la esperanza al notar que la caja se quedaba atravesada en la garganta de la serpiente, que al final no tuvo más remedio que escupirme para no morir asfixiada. «¡Gracias a Dios!», me dije entonces con el corazón lleno de alivio.

Al amanecer, salí de la caja con sigilo y vi que la serpiente ya no estaba. Por un momento me sentí feliz, pero enseguida me abrumó la tristeza, porque ¿de qué me serviría sobrevivir un día más? ¿Cuántas noches habría de pasar en vela hasta que la serpiente lograra salirse con la suya? ¿De verdad merecía la pena seguir viviendo con la amenaza de una muerte segura? Aquellas preguntas eran tan desoladoras que mi tristeza acabó por convertirse en desesperación. Sin embargo, muy pronto conseguí librarme de aquel padecimiento, porque mi cuerpo se rindió al sueño y me quedé dormido en la playa.

Recuerdo que al despertar me sentí muy aturdido, pues tenía la extraña impresión de que mi cuerpo se mecía como cuando se viaja en un barco. Me pareció una sensación absurda, pero, cuando levanté la cabeza, descubrí frente a mí el mástil de un velero. «Estoy soñando», me dije.

—¡Vaya, por fin despiertas! —oí de pronto a mis espaldas.

Al girarme, descubrí la cara de un hombre que me sonreía como un viejo amigo.

—¿Dónde estoy? —le pregunté—. ¿Quién eres?

—Estás en un barco y yo soy el capitán —me respondió—. Pero pensé que no haría falta decírtelo, porque hace mucho que nos conocemos.

No entendía nada. Hacía un momento estaba en una isla, y de repente me encontraba a bordo de un barco con un hombre que decía conocerme. El capitán advirtió mi extrañeza, y entonces se explicó:

—Hace un rato —me dijo—, hemos desembarcado en una isla para buscar agua, y uno de mis compañeros te ha encontrado dormido en la playa. Cuando te he visto, no podía creer que siguieras vivo. Pero, ¡por todas las dunas de Arabia!, ¿de verdad no te acuerdas de mí?

Aunque traté de hacer memoria, no lograba sacar nada en claro.

—Te lo repetí cientos de veces pero ya veo que no me hiciste caso —me explicó entonces el capitán—: «Simbad, Simbad», te decía, «no olvides nunca que quien busca el peligro en él perece».

De repente lo comprendí todo. Ya recordaréis que al principio de mi segundo viaje me embarqué en un velero a las órdenes de un capitán que solía advertirme contra los peligros de la mar, y que un día me quedé dormido en una isla mientras mis compañeros se embarcaban para seguir su viaje.

—Agradécele al destino que hayamos vuelto a encontrarnos —agregó el capitán—, porque viajamos de regreso a Basora. De todas formas, aún tenemos que hacer varias escalas,[6] en las que puedes vender tus mercancías.

—¿Qué mercancías? —pregunté, muy sorprendido.

—Las que abandonaste en la bodega cuando te quedaste dormido en aquella isla.

En verdad no eran más que unas cuantas baratijas, pero logré venderlas a buen precio en los puertos donde recala-

---

6 **escala**: parada que hace un barco en un puerto durante un viaje.

mos,[7] así que regresé a Basora con bastante dinero en el bolsillo. Cuando me despedí del capitán, el buen hombre me hizo una extraña confesión.

—Solo hay una persona a la que envidio en esta vida —me dijo—, y esa persona eres tú.

—¿Cómo puede ser eso? —pregunté extrañado.

El capitán me dio un abrazo antes de contestar:

—Por tu buena suerte, Simbad, por tu buena suerte.

---

7 **recalar**: detenerse un barco en un puerto.

Cuarto viaje.
Enterrado en vida

A la vuelta de mi tercer viaje decidí que nunca más abandonaría mi ciudad, pues era mucho lo que había sufrido por esos mundos de Dios. Sin embargo, no pasaba un solo día sin que echara de menos las brisas del mar, así que solo tardé dos meses en despedirme de nuevo de mi esposa.

Lo mismo que en mis anteriores viajes, mi suerte no duró demasiado. El barco en que zarpé naufragó a causa de una tormenta y, de los cincuenta marineros que íbamos a bordo, solo doce logramos sobrevivir. La fortuna nos llevó hasta una playa en la que se levantaba un poblado de chozas de paja. Pensamos que allí nos podrían dar algo de comer, pero los hombres de piel negra que habitaban en el lugar no mostraron la menor emoción al vernos.

Cuando les dijimos que éramos náufragos, nos apuntaron con sus lanzas y comenzaron a charlar entre sí en una lengua extraña. Más tarde, salió de una de las chozas más grandes de la aldea un hombre alto y de aspecto arisco que vino hacia nosotros. Se trataba sin duda del jefe de la tribu, pues era la única persona del poblado que llevaba la cabeza cubierta. Por orden suya, un muchacho nos ofreció un gran cuenco de arroz regado con aceite de coco sobre el que mis compañeros se abalanzaron como desesperados, pues llevábamos varios días sin echarnos nada a la boca, y el aroma de la comida resultaba

irresistible. Yo, en cambio, tuve un mal presentimiento y me negué a probar el arroz.

—Estás loco —me dijeron mis compañeros—. ¿Piensas que encontrarás un alimento mejor por aquí?

Ciertamente, parecía una necedad rechazar el arroz, pero pronto descubrí que había hecho bien, pues al poco mis compañeros se convirtieron en una especie de bestias que hozaban[1] en la comida lo mismo que los puercos, gruñían en lugar de hablar y caminaban a cuatro patas como los animales. Entonces comprendí que aquellos indígenas habían envenenado el arroz para privarnos de razón. Pero, ¿con qué fin? ¿Acaso pretendían usarnos como bestias de carga? ¿O es que pensaban atarnos a una noria como burros?[2]

La respuesta a mis preguntas no se hizo esperar, pues al poco rato un anciano se llevó a mis compañeros golpeándolos con una vara, como hacen los pastores con sus ovejas. Comprendí que habíamos llegado a un pueblo de caníbales y que aquellos hombres pretendían darnos de comer hasta que engordáramos lo suficiente como para sacrificarnos. Como yo me había negado a probar el arroz, los caníbales me castigaron encerrándome en una choza vigilada por dos jóvenes, adonde cada día me llevaban un cuenco de arroz y otro de agua. Tras mucho pensarlo, me arriesgué a beber, pero me negué en redondo a probar la comida, pues prefería morirme de hambre antes que servir de manjar en un banquete.

El resultado fue que adelgacé mucho en muy pocos días, por lo que los indígenas cada vez se mostraron menos interesados por mí. Convertido en un saco de huesos, no debía de re-

---

1 **hozar**: mover la tierra o la comida con el morro.

2 La **noria** es una máquina que permite sacar agua de un pozo. Para que funcione, se hace caminar a uno o varios animales alrededor de un eje.

sultar muy apetitoso, así que los guardianes relajaron su vigilancia. Un día en que se descuidaron, saqué fuerzas de flaqueza y escapé a todo correr en dirección a la playa. Una vez allí, dudé sobre qué camino tomar, pero de pronto descubrí a un hombre sentado sobre una roca que me hacía señales con la mano. Era el pastor de rebaños humanos que cuidaba de mis compañeros.

—¡Corre hacia la derecha! —me dijo en mi propia lengua—. ¡Allí encontrarás un camino que te llevará a buen puerto!

Ni por un momento pensé que pudiera tratarse de una trampa, pero, por fortuna, pronto descubrí la buena fe de aquel hombre, pues el camino que me había indicado llevaba lejos del poblado de los caníbales. Temeroso de que los salvajes me persiguieran, caminé sin parar durante varios días, alimentándome con hierbas y bebiendo agua de los charcos, hasta que una mañana vi a lo lejos a un grupo de labradores que trabajaban la tierra. Al principio, me asusté mucho porque pensé que eran caníbales, y eché a correr lleno de espanto, pero las fuerzas me fallaron y caí rodando por el suelo. Entonces los campesinos vinieron hacia mí, y uno de ellos me dijo en árabe:

—Cálmate, amigo, has llegado a un pueblo de gente de bien. Dinos, ¿quién eres?

Yo le hablé de mi naufragio y le conté que mis compañeros iban a servir de comida a unos caníbales, a lo que el campesino me respondió que debía agradecer mi suerte, pues era la primera persona que había logrado escapar con vida de los salvajes que vivían al otro lado de la isla.

—Ven con nosotros —me dijo luego.

Al poco rato conocí la ciudad de aquellos amables campesinos, quienes me presentaron ante su rey. Se trataba de un hombre hospitalario y generoso que me dio la bienvenida a su tierra con todo tipo de honores y que me ofreció alojamiento en una gran mansión.

—En adelante —me dijo—, considérate como uno de los nuestros.

Desde el mismo día de mi llegada, el rey me tomó tanto aprecio que decidió invitarme a las tertulias que celebraba a diario en su palacio, y durante las cuales me pedía a menudo que le contase cosas de Bagdad. Un día le expliqué que en mi tierra existía la costumbre de afeitarles la cabeza a los recién nacidos, depositar su pelo en el platillo de una balanza y darles el peso del cabello en oro a los pobres de la ciudad.

—Ciertamente —dijo el rey—, las costumbres de los hombres son de lo más variadas.

—Tenéis razón —le respondí—. A mí, por ejemplo, me ha llamado mucho la atención que aquí montéis los caballos a pelo.

El rey me miró muy extrañado.

—¿Qué quieres decir? —preguntó.

—Pues que me asombra que no uséis sillas de montar.

—¿Sillas de montar?

Era evidente que mi amigo jamás había visto una, así que le expliqué con detalle en qué consistía.

—Es un gran invento —me dijo.

—Desde luego que lo es —le respondí—. Si queréis, puedo fabricaros una silla de montar para que comprobéis lo cómodo que resulta cabalgar con ella.

Como le pareció una buena idea, aquella misma tarde me encerré en la carpintería del palacio para tallar una silla, que luego revestí de cuero y decoré con adornos de oro. Cuando se la enseñé al rey, decidió probarla al instante colocándola en la grupa de su mejor corcel, y durante todo un día cabalgó sin darse tregua por los jardines de su hermoso palacio. Desde entonces, el rey se mostró tan satisfecho de albergarme en su ciudad que multiplicó por cien las atenciones que ya me dispensaba, y comenzó a repetirme a todas horas que nunca en su vida había tenido un amigo mejor que yo.

—A decir verdad —me confesó un buen día—, te he cobrado tanto afecto que me gustaría casarte con alguien de mi reino, para que te quedes con nosotros para siempre.

A mí la idea de casarme y de instalarme para siempre en aquel país no me hacía ninguna gracia, pero el rey ya lo tenía todo planeado, pues me dijo que conocía a una muchacha muy bella y de buena familia que sería una esposa perfecta para mí.

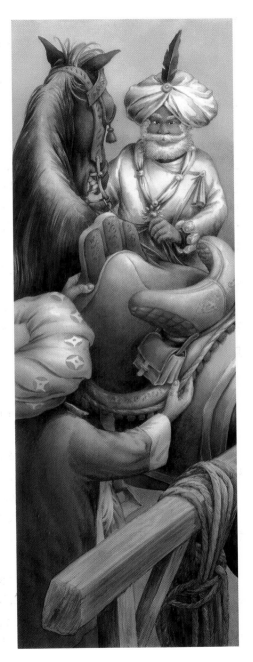

—Tiene una gran fortuna —concluyó—, y, si aceptas casarte con ella, os acondicionaría un ala de mi palacio para que vinierais a vivir conmigo.

Yo estaba tan confundido que no sabía qué responder.

—¿Es que no te gusta mi propuesta? —me dijo el rey algo molesto.

—Claro que sí —le contesté con una sonrisa—. Lo que ocurre es que no me la esperaba.

—Entonces, ¿aceptas o no aceptas?

Como podéis imaginaros, en aquel instante me pasaron muchas cosas por la cabeza, pero sobre todo pensé en mi querida esposa, que seguía esperándome en Bagdad. Mi mayor deseo era volver junto a ella, pero temía defraudar a aquel rey que tanto me había ayudado, así que acabé diciendo lo contrario de lo que mi corazón ansiaba:

—Si Su Excelencia cree que debo casarme —respondí—, lo haré sin dudarlo.

Aquella misma tarde, el rey me presentó a la joven de la que me había hablado, y a las cuatro o cinco horas ya me había casado con ella.[3] Era una mujer bella como la luna, rica como los mercaderes del oro y más prudente de lo que había supuesto, de modo que no tardé en enamorarme de ella. Además, el rey nos proporcionó una vida tan regalada[4] en su palacio que durante algún tiempo me sentí el hombre más feliz de la tierra. Solo de vez en cuando me asaltaba la nostalgia de mi país y de mi primera esposa, pero siempre me consolaba pensando que no tenía derecho a quejarme de mi plácida vida.

Claro que mi alegría se desvaneció cuando menos lo esperaba. A los tres meses de mi boda, uno de los amigos que había hecho en la ciudad enviudó de pronto. Cuando acudí a su casa para darle el pésame, el pobre hombre se encontraba tan abatido que resultaba imposible consolarlo.

—A fin de cuentas —le dije—, es ley de vida. Ánimo, enjúgate las lágrimas y sal a la calle, y ya verás como tarde o temprano darás con otra mujer que te haga feliz.

—¿Otra mujer? —respondió mi amigo entre sollozos—. Pero, ¿cómo voy a encontrar a otra mujer cuando sólo me queda un día de vida?

—Vamos, vamos, no seas tan agorero[5] —le dije yo—. Eres joven y tienes buena salud, así que aún te quedan muchos años por vivir. Lo único que tienes que hacer es…

---

3 Simbad no viola ninguna ley al casarse por segunda vez, pues los musulmanes admiten que los hombres sean polígamos, es decir, que tengan varias esposas.

4 **regalada**: agradable, llena de comodidades.

5 **agorero**: el que cree que van a ocurrir desgracias.

Mi amigo levantó la cabeza y me interrumpió:

—Pero, ¿entonces es que no lo sabes...?

Yo no entendía nada.

—¿Qué es lo que debo saber? —dije.

—¿No sabes que a partir de mañana no volverás a verme nunca más?

—¿Por qué no? No veo ninguna razón para que no sigamos siendo amigos.

—¡Lo que quiero decirte es que mañana me enterrarán junto a mi esposa!

Me quedé de piedra.

—¡No digas tonterías! —exclamé—. ¿Quién va a querer enterrarte junto a un difunto?

—Verás, Simbad —me explicó mi amigo—: en esta ciudad, cuando se muere una persona casada, al cónyuge[6] que queda viudo lo entierran junto al difunto para que no pueda seguir disfrutando de la vida a solas.[7]

Sentí que el mundo se me derrumbaba encima.

—¡Qué crueldad! —dije, aterrado—. Pero, ¡eso es absurdo!

—Es absurdo, sí, pero así son las cosas y no van a cambiar.

De modo que al día siguiente mi amigo fue enterrado en vida sin que yo pudiera hacer nada por evitarlo. El suceso me trastornó de tal modo que permanecí una semana en cama, con la cabeza llena de amargos pensamientos. Cuando conseguí recuperarme, fui a hablar con el rey y le reproché aquella costumbre de enterrar a los vivos con los muertos.

6 **cónyuge**: persona que está casada con otra.

7 Para que los muertos tuvieran compañía en el más allá, muchos pueblos antiguos de todo el mundo enterraban con vida, quemaban u obligaban al suicidio a la esposa de los difuntos, e incluso a sus criados. Más raro era que el viudo fuese sacrificado junto a su mujer.

—Siempre ha sido así y no hay razón para que las cosas cambien —me respondió el rey algo irritado—. Cada nación tiene sus tradiciones y es lógico respetarlas. En tu país todo el mundo usa sillas de montar, y aquí enterramos en vida a los viudos cuando sus cónyuges fallecen.

Entonces pregunté lo que más me preocupaba:

—Y esa ley —dije—, ¿afecta también a los extranjeros?

Mientras esperaba la respuesta, sentí que el corazón se me encogía de espanto.

—Por supuesto —contestó el rey.

Desde aquel día no pude dejar de pensar que, si mi mujer moría antes que yo, me enterrarían vivo junto a ella. Obsesionado con aquella idea, dejé de comer y de hablar con la gente, y empecé a tener unas horribles pesadillas todas las noches. La menor indisposición de mi esposa me dejaba con el alma en vilo, pues siempre temía que fuera el primer síntoma de un mal de gravedad. Sólo con el tiempo logré tranquilizarme. «A fin de cuentas», me dije, «quizá tenga la suerte de morir yo antes que ella».

Sin embargo, el viento de la fortuna no quiso soplar a mi favor. Una mañana, a la vuelta de un paseo, mi mujer se desmayó cuando entraba en palacio, y antes de una semana la vi morir en mis brazos. Al dolor de perderla se sumó entonces el terror de saber que me iban a enterrar con vida. Como no me resignaba a acabar mis días de una forma tan horrenda, en la mañana del funeral los criados del rey me tuvieron que sacar a rastras de mi cuarto. Para entonces, ya habían adornado a mi esposa con sus mejores joyas y la habían metido en su ataúd, que sacaron en hombros del palacio para llevarlo hasta una montaña próxima. Había allí una fosa de grandes dimensiones donde eran enterrados todos los muertos de la ciudad, y en ella depositaron el ataúd de mi mujer con ayuda de unas cuerdas. Cuando el rey me vio llorar frente a la fosa, me echó un brazo por encima del hombro y me dijo:

—No te preocupes, Simbad, tu esposa y tú permaneceréis juntos por toda la eternidad.

Yo le respondí con un grito:

—Pero ¡yo quiero vivir! ¡Si no me enterráis, os prometo que seré vuestro esclavo!

—No puede ser, Simbad —me dijo el rey.

—¡Aún soy joven! —insistí—. ¡Puedo hacer muchas cosas por vuestro pueblo!

Pero el rey ni siquiera me escuchó.

—La ley es la ley —fue todo lo que dijo, y enseguida ordenó que me rodearan el pecho con una cuerda y me bajasen poco a poco hasta el fondo de la fosa.

—¡Os lo ruego! —repetí una y otra vez, pero nadie atendió a mis súplicas.

Un esclavo del rey me entregó entonces un pequeño barril con agua y un saquito con unos cuantos mendrugos de pan para que pudiera sobrevivir bajo tierra durante algunos días, en los que debía llorar sin descanso la muerte de mi mujer. Luego, me bajaron hasta el fondo de la fosa, que quedó cerrada bajo una pesada piedra.

—¡No me dejéis aquí! —seguí gritando cuando ya todos debían de haber regresado a la ciudad—. ¡Tened piedad, os lo ruego! ¡No me dejéis aquí!

Allí abajo reinaba el mayor silencio que podáis imaginar, así como una oscuridad completa y un olor nauseabundo[8] que se desprendía de los cuerpos en descomposición. Pensando en

---

8 **nauseabundo**: asqueroso, repugnante.

el triste final que me esperaba, me llevé las manos a la cabeza y comencé a hacerme reproches. «¡Qué necio has sido, Simbad!», me decía. «¿Quién te mandaba salir de Bagdad y casarte en esta tierra de bárbaros? ¡Ahora solo te queda llorar! ¡Llora, pues, por lo necio que eres y por lo que ya nunca vas a volver a ver!». Pero, al cabo, la esperanza de seguir con vida pudo más que el temor de morir. Recordé que Alá nunca abandona a quienes mantienen su fe a pesar de las desgracias, así que me dije que, tarde o temprano, encontraría un modo de escapar de aquella fosa. Para empezar, decidí racionarme[9] el pan y el agua a fin de que me durasen lo más posible, y de ese modo logré sobrevivir durante diez o doce días.

Cuando se acabaron mis provisiones, sin embargo, perdí de nuevo la esperanza y me eché a llorar como un niño. Pensaba que me había llegado la hora de la muerte, pero justo el día en que me comí el último mendrugo de pan oí gritos afuera y, de pronto, abrieron la fosa.

—¡No me metáis ahí, por piedad! —oí que decía una voz de mujer—. ¿Es que no veis que estoy viva? ¡No me enterréis, os lo ruego!

Comprendí que iban a dar sepultura a un nuevo cadáver, y que era la esposa del difunto quien gritaba suplicando que no la enterrasen junto a su marido. «Si me ven con vida me matarán», pensé entonces, así que me escondí en un rincón adonde no llegaba la luz del sol, y desde allí vi cómo bajaban al muerto y a su viuda, que no cesaba de pedir clemencia. La pobre estaba tan desesperada que, cuando vio que tapaban con una piedra la boca de la fosa, lanzó un grito desgarrador y cayó muerta al suelo.

9 **racionar**: controlar mucho el consumo de una cosa.

Tras unos momentos de horror que me dejaron paralizado, al fin hice de tripas corazón y me acerqué a la mujer para arrebatarle los mendrugos de pan y el cazo de agua que le habían proporcionado. A fin de cuentas, a ella ya no le iban a servir de nada, mientras que a mí podían garantizarme la supervivencia durante algunos días más.

Sin embargo, no pasó mucho tiempo antes de que volviera a quedarme sin víveres y a perder una vez más toda esperanza. «Despídete de la vida, Simbad», me dije entonces con los ojos arrasados de lágrimas. Pero, justo cuando decía adiós a todo, oí en algún lugar de la fosa unos pasos que acabarían por devolverme la fe en mi propio destino.

«Es la muerte, que viene a buscarme», pensé en un primer momento. No obstante, pronto comprendí que lo que oía eran los pasos de un animal que hurgaba en los cadáveres en busca de comida. Aterrado, levanté en alto el hueso de un difunto para golpear a aquella fiera si se atrevía a atacarme, pero el animal se asustó al notar mi presencia, y se marchó corriendo por donde había venido. A través de la oscuridad, empecé a perseguirlo por puro instinto, guiándome tan solo por el rumor de sus pasos, y tras mucho correr llegué a un recodo desde el que se veía a lo lejos un hilillo de luz.

¿Cómo podría explicaros lo que sentí en aquel instante? Fue como si las puertas del cielo se abrieran ante mí de par en par. Con el corazón lleno de esperanza, corrí sin descanso hacia la brecha de luz, que cada vez se fue haciendo más y más grande y, cuando por fin llegué frente a ella, mis ojos vieron de nuevo el azul intenso del mar.

Resultó que el agujero de mi salvación se encontraba en la pared de un acantilado, hasta el que trepaban los animales para entrar en la fosa y alimentarse con la carne de los cadá-

veres. Como no había forma de bajar de allí, durante varios días permanecí al pie de aquella pared rocosa alimentándome de musgo y hierbas silvestres y ansiando que alguien me viese desde el mar y acudiera a rescatarme. Por fortuna, llegó un día en que el capitán de un barco avistó mis señales de socorro y envió una chalupa[10] para sacarme del acantilado. Una vez a bordo, le conté que acababa de llegar a la costa después de naufragar en alta mar, pues temía que el capitán me delatase[11] si le contaba la verdad. Cuando subí al barco, llevaba conmigo un fardo lleno de joyas que les había arrebatado a los cadáveres de la fosa, pensando que a ellos no les servirían de nada mientras que a mí me podrían ser muy útiles en mi propósito de viajar hacia Bagdad. En recompensa por haberme rescatado, le ofrecí aquellas joyas al capitán, pero el buen hombre no quiso aceptarlas, por lo que volví a casa más rico que nunca.

El día de mi llegada, me crucé con un buen amigo que se alegró mucho de verme. Me preguntó dónde había estado, y, al poco de empezar a relatarle mi historia, me interrumpió para decirme:

—A juzgar por tu aspecto, cualquiera diría que acabas de volver a la vida después de recorrer las entrañas del infierno.

Yo pensé por un momento en aquellas palabras, y al fin respondí con alivio:

—Eso es justo lo que me ha pasado.

---

10 **chalupa**: barco pequeño de vela.
11 **delatar**: decir que alguien ha cometido un delito.

Quinto viaje.
El jinete de las patas de búfalo

Pese a las cuantiosas ganancias que me habían proporcionado mis viajes, la terrible experiencia de verme enterrado en vida me quitó durante mucho tiempo las ganas de hacerme de nuevo a la mar. Por primera vez, la idea de abrazar a un pariente o conversar con un amigo me parecía mucho más atractiva que la de embarcarme hacia tierras lejanas. Sin embargo, todos los hombres nacen con una vocación, y la mía es el mar. Los reyes vienen al mundo para gobernar con justicia en sus reinos, y yo nací para navegar por los mares del mundo, así que mi corazón quedó atrapado de nuevo en el sueño de viajar como un pájaro en la red de un cazador.

Dado que mi fortuna me lo permitía, decidí que por vez primera iba a embarcarme en mi propio navío, de modo que mandé construir un velero rápido y elegante y lo equipé a mi costa. Cuando estuvo terminado, convencí a varios mercaderes para que me acompañaran en el viaje, y en un amanecer plácido y lleno de buenos augurios[1] nos hicimos a la mar con rumbo a Oriente.

Durante varias jornadas, gozamos de una espléndida travesía, pues el ambiente a bordo era inmejorable y nuestros negocios iban viento en popa. A veces nos permitíamos inclu-

---

1 **augurios**: esperanzas.

so el capricho de anclar en alguna isla desierta para pasar allí el día, gozando del paisaje y de la calma de las playas. En una de las ocasiones, no obstante, decidí echarme una siesta a bordo mientras mis compañeros desembarcaban. Acababa de dormirme cuando un marinero me despertó de repente diciéndome:

—¡Venid, señor, venid!

Al principio pensé que algo malo había ocurrido, pero la sonrisa del marinero me desengañó enseguida. Cuando le pregunté qué pasaba, me respondió que lo mejor era que saliese a verlo con mis propios ojos. Al bajar del barco, descubrí que mis compañeros estaban preparando una hoguera para asar unos grandes trozos de carne.

—¡Ya veo que se os ha dado bien la caza! —les dije.

—Os equivocáis, señor —me respondió un viejo mercader de ojos pálidos—: no hemos salido a cazar.

—Entonces, ¿de dónde habéis sacado tanta carne?

—Es de una cría que estaba dentro de ese huevo —y me lo señaló—. ¿Verdad que es enorme?

Cuando vi aquel huevo, sentí que el mundo se me venía encima.

—Pero ¿qué estáis haciendo, insensatos? —grité.

Imaginaos: ¡estaban a punto de asar una cría de ave roc! Habían roto el huevo con la ayuda de unas piedras y habían troceado el polluelo para darse un banquete.

—¡Lo que estáis asando es una cría de ave roc! —les advertí a mis compañeros—. ¡Hay que marcharse de aquí enseguida! ¡Aprisa, subid a bordo!

—¡Venga, patrón, no nos agüe la fiesta! —me replicó un joven que aventaba el fuego.

Los demás se rieron de buena gana.

74

—¿Y qué es un ave roc? —preguntó el mercader de los ojos pálidos mientras se echaba al hombro uno de los muslos del polluelo.

—¡Dios quiera que nunca lo sepáis por vosotros mismos! —le respondí—. ¡Os aseguro que, si aparece la madre de esa cría, no viviremos para contarlo!

Mis palabras eran bien claras, pero mis compañeros debieron de pensar que estaba de broma, pues siguieron asando la carne del polluelo con absoluta tranquilidad. Yo, en cambio, miraba al cielo sin parar temiéndome un ataque del ave roc, que acabó por producirse poco después del mediodía. Una pareja de enormes pájaros empezó a planear sobre nuestras cabezas dando grandes graznidos de rabia.

—¡Vámonos! —ordené.

Sólo entonces advirtieron mis compañeros que no bromeaba. Aterrados, echaron a correr en desbandada hacia el barco, que muy pronto se adentró en alta mar gracias a que soplaba un viento favorable. Aún así, yo no las tenía todas conmigo, y mis más siniestros presagios acabaron por confirmarse. Llevábamos un rato navegando cuando la sombra de las dos aves roc oscureció la cubierta del barco. Para vengarse, cada una de ellas soltó sobre nosotros una roca que llevaba entre las garras. Gracias a las maniobras del capitán, logramos esquivar la primera piedra, pero la segunda cayó de lleno sobre la cubierta y partió en dos mi precioso navío. El timón voló por los aires, los mástiles quedaron destrozados y la mitad de la tripulación murió aplastada por la roca. El resto caímos al agua, y nos pusimos a nadar para salvarnos.

Nunca he vuelto a saber de ninguno de aquellos compañeros de viaje. De mí puedo deciros que logré sobrevivir aferrándome a un pedazo de mástil y que, tras pasar tres días en alta mar, llegué a una isla llena de palmeras y arroyos donde pude saciar mi hambre y mi sed. Durante algún tiempo, pensé que la isla estaba desierta, pero una mañana descubrí a un extraño anciano sentado en la ribera de un río. Era un hombre esquelético, llevaba unas largas barbas blancas que le llegaban hasta el ombligo, vestía tan solo unos harapos que le cubrían las vergüenzas y tenía la vista clavada en el curso del agua. Creyendo que era un náufrago como yo, corrí hacia él loco de contento y le dije que me llamaba Simbad y que había llegado a la isla tras un naufragio, pero el viejo ni siquiera me miró.

—Me llamo Simbad y soy un náufrago —le repetí.

El anciano no me hizo caso.

—¿Lleváis mucho tiempo aquí? —pregunté.

Como el viejo siguió callado, pensé que tal vez era mudo.

—¿Sabéis si hay alguien más en esta isla? —insistí.

Era como hablarle a un muerto. Cansado de que el anciano no respondiera a ninguna pregunta, decidí marcharme. Pero, justo cuando me iba, el viejo comenzó a gruñir y a menear la

cabeza como si pretendiera decirme algo. Yo deduje que quería que lo ayudase a cruzar el río, pues en la otra orilla pude ver una higuera cargada de frutos que debían de apetecerle mucho. Después de cargar al anciano sobre mis hombros, me metí en el agua para cruzar el río, y cuando llegamos a la otra ribera, agaché la cabeza y le dije al viejo:

—Bueno, ya está. Ahora ya podéis bajar y comeros los higos, porque supongo que es eso lo que queríais.

El anciano ni siquiera se movió.

—Ya hemos cruzado el río —volví a decirle—. Venga, bajad, que me canso de llevaros encima.

Pero, por más que le repetía que pusiera los pies en el suelo, el viejo seguía sobre mis hombros y no mostraba intención alguna de bajar. Os aseguro que era desesperante.

—¿Es que pensáis quedaros ahí todo el día? —pregunté con rabia—. ¡Bajad de una vez, viejo del demonio!

No debí de haber gritado. Molesto con mi actitud, el anciano comenzó a apretar sus piernas alrededor de mi cuello como si pretendiera estrangularme. Yo traté por todos los medios de librarme de él, pero entonces las piernas del viejo comenzaron a llenarse de recios pelos, se volvieron gruesas y robustas como las patas de un búfalo y me oprimieron el cuello cada vez con más fuerza, hasta que al final me desmayé por falta de aire.

Cuando recobré la conciencia, comprendí que el viejo había decidido usarme a modo de caballo. Durante meses, me hizo llevarle de aquí para allá por toda la isla. Cuando quería que fuese más rápido, me hincaba los talones en el vientre, y, cuando deseaba que parase, me daba un coscorrón en la cabeza. Por las noches, no me dejaba dormir, pues cada vez que cerraba los ojos me azotaba para que despertase y, a la menor queja, sus piernas peludas de búfalo me apretaban el cuello para ahogarme. Por si fuera poco, aquel maldito anciano orinaba y hacía de vientre sobre mí, de modo que servirle de caballo se convirtió en toda una tortura. Tanto era así, que a cada instante le pedía a Alá que me diese la muerte para verme libre de aquella vida de esclavo.

Las cosas solo comenzaron a cambiar el día en que nos encontramos por casualidad con un viñedo. Cuando el viejo lo vio, me golpeó la cabeza para que me detuviese y comenzó a comer uvas con toda la tranquilidad del mundo. Yo descubrí entonces una calabaza seca al pie de una de las viñas, y se me ocurrió que podía llenarla de zumo de uva y dejarla al sol durante un tiempo para que se convirtiese en sabroso vino, pues pensé que beber me aliviaría las penas. De modo que, cuando algunos días después regresamos al viñedo, pude echarme un buen trago de vino, que se me subió enseguida a la cabeza. A decir verdad, me puse tan alegre que empecé a cantar y bailar como si fuese el hombre más feliz del mundo.

Entonces, el viejo de mis tormentos comenzó a propinarme coscorrones en la cabeza para darme a entender que él también quería probar el vino, pues sentía envidia de mi alegría desbordante. Por supuesto, le pasé la calabaza de inmediato para que me dejase en paz.

—¡Bebed, viejo del demonio —le dije—, que esta vida son cuatro días y la muerte no perdona a nadie!

Al anciano le gustó tanto el vino que vació la calabaza en menos que canta un gallo. Lo mismo que a mí, el alcohol se le subió enseguida a la cabeza, así que empezó a canturrear y a menearse de un lado para otro, lo que le hizo vomitar sobre mi pobre cabeza todo lo que llevaba en el estómago. Fue entonces cuando sus piernas comenzaron a relajarse. «Ésta es tu oportunidad», me dije. Sin pensarlo dos veces, agarré al anciano por los tobillos y lo empujé hacia atrás con todas mis fuerzas. Para su desgracia, el viejo topó al caer con una piedra que había en el camino, por lo que no sabría deciros si murió en aquel mismo instante o si aún sigue con vida, pues eché a correr como un loco hacia la playa para perderlo de vista cuanto antes.

Tanto miedo tenía, que mi huida a todo galope debió de durar más de una hora, por lo que al cabo caí rendido a orillas del mar. Pero aún no había recobrado el aliento cuando de pronto oí a mis espaldas una voz que decía:

—¿De dónde sales, hombre de Dios?

Pensando que era el viejo, eché a correr a toda velocidad, pero cometí la imprudencia de volver la cabeza hacia atrás, y

entonces tropecé con la raíz de un árbol y caí rodando por la arena. Para colmo de males, perdí el conocimiento, pero, cuando volví a abrir los ojos, encontré frente a mí a un joven que me decía con una amable sonrisa:

—Tranquilo, no pretendo hacerte daño.

Estaba tan desesperado que me arrodillé a sus pies y comencé a suplicarle entre lágrimas:

—¡Tienes que ayudarme, por Alá! ¡Sácame de aquí y seré tu esclavo hasta el fin de mis días!

—Por supuesto que te ayudaré —me respondió.

Más tarde supe que el joven acababa de desembarcar en la isla junto con otros marinos para abastecer su barco de agua y frutos. El chico me llevó junto a sus compañeros, a quienes les conté todo lo que me había ocurrido. Más de uno me tomó por loco y pensó que la historia del viejo era una pura invención, pero el capitán del barco aseguró que no mentía.

—He oído hablar muchas veces de ese viejo —dijo—. Ha matado a cientos de personas sin que nadie hasta el día de hoy hubiera logrado escapar de él con vida, así que nuestro querido Simbad puede considerarse un hombre de suerte.

Tres días después, el barco atracó[2] en una ciudad situada en un extremo del país de los negros.[3]

—Tenéis todo el día para comprar y vender —nos anunció el capitán cuando desembarcábamos—, pero recordad que antes de que caiga la tarde hemos de hacernos de nuevo a la mar.

Por supuesto, yo no tenía mercancías que vender, así que dediqué todo el día a pasearme por la ciudad y a charlar con sus gentes. Un amable mercader que se llamaba Hasán me explicó que aquel lugar era conocido como «la ciudad de los simios» porque en las montañas de sus alrededores vivían monos de todas las especies que cada noche bajaban a la población y lo destrozaban todo. Por eso las gentes de la ciudad habían tomado la costumbre de dormir en sus barcos, pues solo en el mar se sentían a salvo de los monos.

Aquella historia me interesó tanto que me pasé toda la tarde haciéndole preguntas al bueno de Hasán, de modo que, cuando quise darme cuenta, ya estaba atardeciendo. Entonces me acordé de lo que había dicho nuestro capitán y me eché las manos a la cabeza. «¡El barco va a zarpar!», pensé. «¡Dios quiera que llegue a tiempo!». Pero de nada me sirvió correr con todas mis fuerzas, pues, cuando llegué al puerto, mis compañeros ya se hallaban en alta mar. «¡Maldita sea, Simbad!», me dije. «¿Por qué caes siempre en el mismo error?».

Mientras lloraba por mi imprudencia pasó por allí Hasán, el mercader con el que había charlado durante toda la tarde,

2 **atracar**: detenerse un barco en un puerto.
3 Así llamaban los árabes en época de Simbad a todos los territorios de África que quedaban por debajo de Egipto, como los de Sudán.

y me preguntó qué me ocurría. Cuando se lo conté, el buen hombre me echó una mano al hombro y me dijo:

—No te preocupes, Simbad, que yo te ayudaré. En adelante, mi casa será tu casa y mi familia será tu familia.

De modo que aquella noche dormí en el barco de Hasán. Por la mañana, mi querido amigo me preguntó si conocía algún oficio con el que ganarme la vida. Cuando le dije que solo sabía el de mercader, él me respondió:

—Pues vamos a conseguirte un saco lleno de piedras.

No entendí nada.

—¿Para qué? —pregunté.

—Ya lo verás a su debido tiempo —me respondió Hasán con una sonrisa.

Al poco rato ya me había reunido con unos cuantos compañeros de mi huésped, que se dirigían a las afueras de la ciudad cargados como yo con un saco de piedras. Cuando le pregunté a uno de ellos en qué consistía el trabajo, me respondió que íbamos a recoger cocos.

—¿Y para qué queremos las piedras? —dije.

—Ya lo verás a su debido tiempo —respondió con una sonrisa un joven de largas barbas.

Poco después llegamos a un palmeral donde los monos campaban a sus anchas, y entonces uno de mis compañeros me dijo:

—Ahora haz todo lo que nos veas hacer a nosotros, pero no te apartes del grupo, o pondrás en peligro tu vida.

Yo cada vez estaba más intrigado, pero no tardé en comprenderlo todo. Mis compañeros abrieron sus sacos y comenzaron a apedrear a los monos, tarea en que, por supuesto, los imité. Para defenderse, los micos treparon a lo más alto de las palmeras y respondieron a nuestro ataque con una lluvia de cocos. Era una forma muy ingeniosa de hacerse con la fruta sin tener que subir a las palmeras, aunque tenía sus riesgos, pues había que andarse con mucho ojo para no acabar descalabrado.[4]

Desde aquel día, pues, me dediqué a recoger cocos, que cada tarde al acabar el trabajo le entregaba a Hasán. Sin embargo, mi buen amigo nunca quiso aceptarlos.

—Véndelos tú —me decía—, y así reunirás el dinero necesario para volver a Bagdad.

Como comprenderéis, el día en que abandoné la ciudad de los simios sentí una honda tristeza, pues nada me dolía tanto como separarme de Hasán. Sin embargo, pronto encontré motivos de alegría en mi viaje de regreso a Bagdad. En una isla cambié unos cuantos cocos por mercancías mucho más valiosas, como la pimienta y la madera de áloe,[5] y en otra me dediqué a pescar perlas tomando a sueldo a unos expertos buceadores, de modo que cuando volví a Bagdad había recuperado con creces el dinero perdido con el naufragio de mi hermoso velero.

«La fortuna ha vuelto a acompañarte», me dije a mí mismo cuando pude abrazar de nuevo a mi esposa. «Eres el hombre más rico de la ciudad, y has vivido cosas que la mayoría de tus vecinos ni siquiera se atreven a soñar, pero no vuelvas a tentar a la suerte o acabarás por arrepentirte».

Claro que, ¿de qué sirven las palabras frente a un corazón obstinado? Solo pasaron dos meses antes de que me hiciera otra vez a la mar.

---

4 **descalabrado**: herido.

5 **áloe**: árbol de madera muy apreciada, que se emplea en Oriente para hacer muebles o para quemarla, pues desprende muy buen olor.

Sexto viaje.
En el paraíso de Serendib

Cierto día entre los días, tras haberme prometido que nunca más saldría de mi ciudad, recibí la visita de unos amigos mercaderes que acababan de regresar de una larga travesía por las Indias. Estuvieron toda una tarde contándome sus vivencias, y me bastó con ver sus caras curtidas[1] por la brisa del mar para sentir de nuevo el deseo irreprimible de visitar otras tierras, de modo que a los pocos días ya me había embarcado con rumbo a las Indias.

Desde allí, seguí viajando hacia Oriente, pero nuestro velero acabó destrozado en el curso de una horrible tempestad. Por fortuna, logré sobrevivir junto a otros nueve marinos y llegar con ellos hasta una isla. Había allí un curioso río que nos llamó mucho la atención, pues se adentraba en tierra firme en vez de desembocar en el mar, y tenía un lecho formado por rubíes y esmeraldas[2] que brillaban más que el sol. Sin embargo, ¿qué interés podían tener para nosotros tantas riquezas? Lo que deseábamos era comer, y en aquella hermosa isla no había nada que echarse a la boca.

El resultado fue que mis compañeros murieron de hambre uno tras otro en muy poco tiempo. Yo, en cambio, logré sobre-

---

1 **curtidas**: endurecidas por el sol y el aire.
2 **rubí**: piedra preciosa de color rojo; **esmeralda**: piedra preciosa de color verde.

vivir algunas semanas, gracias a que mis viajes me habían acostumbrado a vencer toda clase de penalidades, pero al final sentí en la nuca el frío aliento de la muerte, y entonces me angustié pensando que nadie enterraría mi cuerpo cuando dejase escapar mi último suspiro. Por eso decidí emplear las pocas fuerzas que me quedaban en cavarme una fosa donde habría de tumbarme en cuanto sintiera el zarpazo de la muerte; al cabo, me pareció más sensato dedicar mis escasas energías a construirme una balsa: con ella podría echarme al río que se adentraba en la isla, y tal vez llegaría a algún lugar donde hubiese alimentos.

Antes de hacerme al agua, llené la balsa con algunos de los rubíes y esmeraldas que brillaban en el fondo del río, ya que pensé que podían serme útiles para comprar comida. Luego, la balsa se adentró en las entrañas de la tierra a través de una gruta, y me llevó por lugares oscuros como boca de lobo, donde el techo estaba tan bajo que tuve que tumbarme para poder pasar y donde el aire escaseaba hasta el punto de que más de una vez temí asfixiarme. No puedo deciros cuánto tiempo navegué sobre aquel río, pues al final me dormí a causa del mareo, de la oscuridad y del rumor de las aguas.

Cuando abrí los ojos, no supe si estaba vivo o muerto, pero los seres que me rodeaban no eran ángeles de Dios sino simples campesinos.

—Soy un hombre de paz —les dije—. ¿Podríais ayudarme?

Parecían no entenderme, pero uno de aquellos labradores me respondió en un árabe rudimentario:

—Dios guarde a ti, amigo. ¿Eres quién? ¿Dónde vienes? Tú no tener miedo. Nosotros campesinos.

Yo respondí con un hilo de voz:

—Estoy muerto de hambre: ayúdame.

Espero que Dios haya premiado a aquellos generosos labradores, pues no solo me dieron de comer y me curaron las heridas, sino que me llevaron a su ciudad para que conociese a su rey, quien decidió alojarme en su propio palacio para demostrarme su hospitalidad. Cuando quise pagarle con los rubíes y esmeraldas que llevaba conmigo, me respondió con gesto amable que aquellas riquezas eran mías, pues Dios las había puesto en mi camino.

—Lo único que quiero —añadió— es que me cuentes cómo has llegado hasta aquí.

Entonces le expliqué la historia de mis viajes con tanto detalle que el amanecer nos sorprendió charlando.

—Es la historia más asombrosa que he oído nunca —me confesó el rey, y le ordenó a su cronista que la escribiera con letras de oro en los anales del reino.[3]

Al día siguiente, supe que la ciudad a la que había llegado se llamaba Serendib, y comprobé con mis propios ojos que era la más hermosa del mundo después de Bagdad.[4] Serendib se encuentra situada en la falda de una altísima montaña que puede verse desde el mar a tres jornadas de navegación, y donde se dice que fue desterrado Adán cuando Dios lo expulsó del Paraíso.[5] En Serendib hay flores de deslumbrante belleza por todos lados, minas de diamantes y piedras preciosas en las entrañas de los montes y gentes de tan buen corazón que es imposible no tomarles cariño. El rey de la isla es un hom-

---

3 El **cronista** era el historiador que ponía por escrito todo lo que sucedía en un reino. Los **anales** recogían todos los sucesos acaecidos en un determinado lugar a lo largo de un año.

4 Al parecer, Serendib es Borneo, isla situada entre la India y Australia.

5 Como los judíos y los cristianos, los musulmanes creen que Adán, el primer hombre, vivía en un paraíso del que Dios lo expulsó por haber pecado.

bre justo y sabio que no se deja engañar por la riqueza, pues, aunque tiene un palacio techado de rubíes y se sienta en un trono de oro, sabe que en este mundo ninguna posesión es duradera. Por eso se hace acompañar siempre por un criado que a todas horas le susurra al oído: «Este monarca tan rico y poderoso ha de morir como todos los hombres».

Desde luego, no me faltaban motivos para sentirme feliz en Serendib, pero mi corazón añoraba Bagdad, así que todos los días acudía al puerto en busca de un barco que quisiera llevarme a mi tierra. Cuando por fin di con uno, le expliqué al rey que deseaba marcharme, y él entendió muy bien mis razones. No obstante, antes de que me fuera quiso hacerme algunas preguntas sobre mi patria.

—¿Quién reina en ella? —me dijo.

Yo le respondí que el califa Harún al-Rasid.[6]

—¿Y es vuestro califa un hombre justo?

—Tanto como una balanza —contesté—. Debéis saber que Harún al-Rasid tiene la costumbre de pasearse por la ciudad vestido de mendigo para comprobar con sus propios ojos si en su reino se hace justicia.

—Pero dime, Simbad, ¿es generoso tu califa?

—Desde luego que sí. Harún al-Rasid es tan generoso que algunos mendigos se han enriquecido de la noche a la mañana gracias al oro del califa.

—Entonces —me dijo el rey de Serendib—, tu pueblo puede estar contento, pues un rey justo y generoso es tan deseable como un día de lluvia en los ardores del desierto. Escúcha-

---

6 Harún al-Rasid (766-809) fue el **califa** (rey) del imperio islámico en su época de mayor expansión. A causa del esplendor de su reinado, su figura fue idealizada en obras como *Las mil y una noches*, donde es descrito como un hombre comprensivo, vitalista y amante de la justicia.

me, Simbad: me gustaría que le llevaras a Harún al-Rasid algunos regalos de mi parte, para que sepa que en mí tendrá siempre a un buen amigo.

Muchas fueron las cosas de valor que me entregó el rey para nuestro califa, entre ellas un jarro lleno de perlas, un pellejo de serpiente que cura las enfermedades de quien duerme sobre él y una esclava de fulgurante belleza vestida con las sedas más lujosas del mundo.

Cuando llegué a Bagdad y le entregué a Harún al-Rasid aquellos regalos, nuestro califa se sintió tan complacido que decidió pagarme las molestias de mi viaje con un millar de cequíes.[7] Claro que, a aquellas alturas de mi vida, yo ya tenía dinero suficiente como para vivir cinco vidas, de modo que decidí entregar el oro del califa a los pobres de Bagdad.

Cierto día, mientras repartía limosnas, un mendigo tomó mi mano entre las suyas y me dijo:

—Por la caridad que me has hecho, querido Simbad, le rezaré a Dios para que te proteja en todos tus viajes.

Yo acaricié la cara del mendigo antes de responderle:

—Te lo agradezco de todo corazón, pero ya no me harán falta tus oraciones, pues hoy mismo he hecho firme promesa de no salir nunca más de esta ciudad. Ya soy un hombre maduro y mi edad exige reposo, así que sería una locura exponerme de nuevo a los peligros de los viajes. Y a ti te pongo por testigo de esta promesa, que he de cumplir sobre todas las cosas.

---

7 **cequí**: moneda de oro que usaban los árabes.

Séptimo viaje.
Al servicio de Harún al-Rasid

Dicen que en el principio de los tiempos una pluma de luz creada por Dios escribió por sí sola todo lo que habría de suceder en el mundo hasta el día del Juicio Final.[1] Aquella pluma debió de dejar escrito que Simbad el marino saldría de Bagdad en siete ocasiones, pues a la vuelta de mi sexto viaje me vi obligado a embarcarme otra vez pese a que me había prometido abandonar para siempre los peligros del mar.

Ocurrió que un día entre los días llegó a mi casa un mensajero del rey y me dijo que el califa deseaba verme. Cuando llegué a palacio, me arrodillé ante Harún al-Rasid y le pregunté en qué podía servirle.

—Ya sabes, Simbad —me respondió el califa—, que yo soy un hombre agradecido.

—Yo mismo lo comprobé hace tres semanas —dije—, cuando me recompensasteis con tres sacos de oro por haberos entregado los regalos del rey de Serendib.

—Precisamente de eso quería hablarte. Como comprenderás, mi deber de hombre agradecido es corresponder a la generosidad del rey, así que deseo que vuelvas a Serendib para llevarle una carta y unos regalos.

---

1 Como los cristianos y los judíos, los musulmanes creen que al final de los tiempos habrá un Juicio Final en el que los buenos se verán recompensados con el Paraíso y los injustos serán condenados al Infierno.

En aquel momento me sentí como si todas las mezquitas de Arabia hubieran caído a la vez sobre mi pobre cuerpo.

—Señor —dije—, a lo largo de mi vida he emprendido seis viajes, y he sufrido tanto en ellos que he prometido no volver a abandonar mi hogar. Eso quiere decir que si os obedezco incumpliré la palabra que he dado.

—Te comprendo, Simbad —dijo el rey mientras me echaba una mano al hombro—, pero deseo de todo corazón que seas tú quien cumpla mi voluntad. No te preocupes, seguro que Alá te allanará el camino para que regreses pronto a casa.

¿Qué podía hacer sino cumplir el deseo del califa? Tras despedirme de mi esposa y mis amigos me embarqué de nuevo, y los vientos nos fueron tan favorables que a las pocas semanas ya había llegado a Serendib para entregarle al rey de la ciudad los regalos de Harún al-Rasid. Había entre ellos tapices de Grecia y sedas de Egipto, una yegua hermosísima del color de la sangre, diez camellos guarnecidos con las mejores monturas de Arabia, un libro de páginas de oro en el que estaba escrita la historia de mi pueblo, una mesita que perteneció al mismísimo rey Salomón[2] y una hermosa carta escrita de puño y letra del propio califa que decía tan solo:

Mi reino es vuestro reino.
Harún al-Rasid

El rey de Serendib quedó tan complacido con los regalos y con la carta, que me recompensó la molestia del viaje agasa-

2 **Salomón**, rey de los hebreos en el s. x a.C., fue famoso por su sabiduría.

jándome con fiestas y banquetes durante varios días, al cabo de los cuales me despidió con un fuerte abrazo y me dijo:

—Que la paz sea contigo, mi querido Simbad.

Mi viaje de regreso empezó tan bien que creí que en pocas semanas volvería a pisar mi patria, pero el destino es un libro cerrado que solo Dios conoce, y pronto supe que aún había en él algunas páginas amargas escritas con mi nombre. Una soleada mañana, mientras bordeábamos la costa, nuestro barco fue abordado por unos fieros piratas armados hasta los dientes. Algunos de mis compañeros de navegación se atrevieron a plantarles cara, pero pagaron su osadía con la muerte, mientras que el resto fuimos vendidos como esclavos en una isla cercana.

Más afortunado que la mayoría, yo caí en manos

de un rico comerciante que me ofreció comida en abundancia y me vistió con un traje decoroso.[3] El día en que me compró, tuve que confesarle que el único oficio que conocía era el de mercader, al que había dedicado toda mi vida.

—Pero seguro que puedes disparar un arco… —me dijo.

—Eso sí —contesté—, pues en mi juventud fui muy aficionado a la caza.

De modo que al día siguiente mi señor me entregó un arco y una aljaba[4] y me llevó a cazar. Tras cabalgar durante varias horas a lomos de un elefante, nos adentramos en una espesa selva.

—¿Ves aquel árbol? —dijo entonces mi amo, señalándome la palmera más alta del lugar.

—Sí —contesté.

—Pues súbete en él y, en cuanto veas venir a una manada de elefantes, les disparas. Yo vuelvo a la ciudad, porque tengo que atender unos negocios, pero, si derribas a algún elefante, corre enseguida a casa a decírmelo.

Pasé la noche al raso sin que apareciera un solo elefante, pero al amanecer una manada entera se adentró en el corazón del bosque. Entonces tensé el arco y comencé a disparar. Asustados, los elefantes echaron a correr en desbandada, pero uno de ellos cayó alcanzado por mis flechas.

Cuando la manada hubo pasado, bajé del árbol, volví a toda prisa a la ciudad y le conté a mi amo lo que había ocurrido.

—¡Buen trabajo! —me dijo.

Aquella misma tarde, los dos regresamos al lugar en el que había caído el elefante.

---

3 **decoroso**: decente, presentable.
4 **aljaba**: caja para flechas que se lleva colgada del hombro.

—Ahora cavaremos una fosa para enterrarlo —me explicó mi señor.

Me sorprendió mucho que en aquella isla enterrasen a los elefantes lo mismo que a las personas, pero mi amo me reveló que aquello no era un acto de piedad.

—Lo dejaremos bajo tierra tres o cuatro semanas y luego regresaremos a por él. Para entonces, su cuerpo ya estará podrido, y podremos arrancarle los dientes sin ninguna dificultad. Si has sido mercader ya sabrás que el marfil es una mercancía muy preciada.

En los dos meses que siguieron, me adentré en la selva todos los días, y no pasó uno solo sin que matara al menos a un elefante. Pero una mañana las cosas se me complicaron. Estaba encaramado en el árbol de siempre cuando apareció una manada de elefantes enfurecidos que hizo temblar la tierra: eran tantos que por debajo de mí no veía más que lomos grises. Uno de ellos se acercó a la palmera donde me encontraba y clavó en mí sus ojos llenos de furia. Sentí tanto miedo que el arco se me escapó de las manos y las flechas de mi aljaba cayeron a tierra. Entonces el animal rodeó el tronco con su trompa y comenzó a tirar de él hasta arrancarlo de cuajo. «¡Me va a matar!», pensé, pero el elefante no me maltrató, sino que me levantó con su trompa, me cargó sobre su espalda y echó a andar seguido por el resto de la manada. «¿Dónde diablos me lleva?», me decía a mí mismo con el corazón alborotado por los nervios. La respuesta no me llegó hasta pasado un buen rato, cuando el elefante se detuvo en un claro que se encontraba en lo más alto de una colina y, tras dejarme en tierra, se fue con su manada.

Al principio, no entendí el sentido de aquel extraño viaje, pero cuando eché un vistazo a mi alrededor y descubrí que

aquel claro estaba lleno de cadáveres de elefantes lo comprendí todo a la perfección. El jefe de la manada me había llevado hasta el cementerio donde iban a morir sus compañeros para decirme que allí podía obtener todo el marfil que quisiera sin necesidad de matar elefantes.[5]

Cuando regresé a la ciudad, me encontré a mi señor muy nervioso, pues había estado en el bosque y había visto la palmera a la que solía subirme arrancada de cuajo.

—Creí que habías muerto —me dijo.

—Nada de eso, señor —le respondí, y enseguida le hablé del cementerio de elefantes.

—¡Dios mío, soy rico! —exclamó entonces mi amo dando saltos de alegría.

Al día siguiente, los dos nos dirigimos al cementerio de elefantes, recogimos todo el marfil que pudimos y lo vendimos a muy buen precio en la ciudad.

—Desde luego, Simbad, eres un hombre de suerte —dijo mi amo—. Cuando te envié a cazar el primer día te oculté que cada año los elefantes matan en estas tierras a miles de esclavos que son enviados por sus amos en busca de marfil. En cambio, tú no solo has sobrevivido a varias cacerías sino que has encontrado la forma de hacer rico a tu señor. Por eso desde hoy mismo eres un hombre libre.

La generosidad de mi amo no se limitó a devolverme la libertad, pues al poco tiempo me entregó la mitad de lo que había obtenido con la venta del marfil y me buscó un barco que me devolviera a mi tierra.

---

5 Desde antiguo se ha creído que, cuando los elefantes se sienten al borde de la muerte, se retiran a un lugar secreto para morir entre los restos de sus congéneres.

—¡Dios mío —exclamó Harún al-Rasid cuando regresé a Bagdad—, nunca creí que la misión que te encargué pudiera causarte tantos sufrimientos!

—No debéis preocuparos por nada —respondí—. Ya sabéis que siempre estaré a vuestro servicio.

—Lo sé, Simbad, y por eso voy a recompensarte. Hoy mismo le ordenaré a mis cronistas que escriban la historia de tus viajes con letras de oro en los libros del reino para que tus asombrosas aventuras queden en el recuerdo de todo el mundo.

Entusiasmado con tan honroso regalo, salí del palacio del califa pensando en aquellos lejanos años de mi juventud en que había acabado en la pobreza tras derrochar la fortuna de mi padre. Ahora, en cambio, soy un hombre rico y gozo de una vejez serena y desahogada. Calculo que mis siete viajes me han mantenido lejos de esta ciudad unos veintisiete años, así que ya no me quedan ganas de abandonar esta casa, donde me ha de encontrar la muerte cuando venga a buscarme. Sin embargo, nadie podrá decir que no me he ganado el nombre de Simbad el marino, pues conozco como nadie los secretos del mar y cada vez que me escucho el corazón siento en él el murmullo de las olas.

Adiós a la pobreza

Cuando acabó de contar su historia, el viejo Simbad el marino tenía las mejillas bañadas en lágrimas.

—Ahora ya conoces, mi querido amigo —le dijo entonces a Simbad el porteador—, cuánto me ha hecho sufrir el destino antes de dispensarme tantas riquezas.

El pobre mozo de cuerda se sonrojó.

—Os pido perdón si mi canción os ha ofendido —dijo.

Pero Simbad el marino le rodeó el hombro con el brazo y le respondió que no tenía nada que hacerse perdonar.

—Yo sé bien lo mucho que estás sufriendo —concluyó—, y por eso mismo voy a entregarte cien cequíes por cada uno de los viajes que te he contado, para que el aire de la miseria no vuelva nunca a respirarse en tu casa.

Simbad el porteador sintió que el corazón se le ensanchaba con las palabras de aquel viejo marino y recibió los setecientos cequíes con los ojos anegados en lágrimas. Desde aquel día, nunca más iba a pasar penalidades. Simbad el marino adquirió la costumbre de recibirlo en su casa todas las tardes para charlar con él sobre las cosas de la vida, y de ese modo nació entre los dos una amistad tan estrecha que solo pudo romperla la muerte: la muerte inevitable que iguala para siempre al rico con el pobre y al rey con el esclavo.

actividades

Simbad el marino

Argumento

1. Los viajes de Simbad el marino se relatan en *Las mil y una noches*, una hermosa recopilación de cuentos orientales escrita en árabe durante la Edad Media. En la obra, las historias se intercalan a menudo unas en otras, tal y como sucede con los viajes de Simbad el marino, que quedan integrados en la **historia marco** de Simbad el porteador. ¿Cómo se conocen los dos Simbad? (págs. 11-12) ¿Por qué el joven porteador arde en deseos de escuchar la historia de su tocayo? (págs. 12 y 14)

2. Simbad el marino emprende su **primer viaje** en plena juventud. ¿Qué motivos le llevan a embarcarse? (pág. 15) ¿Qué confusión lo convierte en náufrago a poco de hacerse a la mar? (pág. 19) ¿Cómo logra llegar a tierra firme? (pág. 20)

3. Simbad cree que ha ido a parar a una isla desierta. ¿Cómo descubre que en ella hay un reino? (pág. 23) Una vez en Miraján, ¿qué prueba debe superar para regresar a su patria? (págs. 26-28)

4. En su **segundo viaje**, Simbad visita una isla desierta donde encuentra una extraña mole. Al principio la confunde con un edificio, pero ¿qué es en realidad? (pág. 34) ¿Cómo demuestra Simbad su ingenio a la hora de escapar de la isla? (pág. 35)

5 Desde la isla, Simbad pasa a un valle donde habrá de afrontar un nuevo peligro. ¿Cuál? (pág. 36) ¿Cómo se las arregla Simbad para salir del valle? (págs. 38-39) ¿Qué feliz encuentro le permite regresar a Bagdad? (pág. 39) ¿Cómo logra acrecentar su fortuna y en qué invierte el dinero obtenido? (pág. 42)

6 Cuando Simbad emprende su **tercer viaje**, ya es uno de los hombres más ricos de Arabia. ¿Cómo justifica entonces su decisión de hacerse de nuevo a la mar? (pág. 43) ¿De qué siniestra manera vuelve a convertirse en náufrago? (págs. 44-45)

7 Tras llegar a tierra firme, Simbad y varios compañeros topan con un aterrador gigante. ¿Cómo descubre Simbad el peligro que representa el monstruo? (pág. 46) ¿Qué plan traza el marino para librarse de él? (págs. 48-49)

8 Los tres hombres que sobreviven al encuentro con el gigante deberán enfrentarse a una voraz serpiente. Tras la muerte de sus dos compañeros, ¿qué hace Simbad para que el reptil no se lo coma también a él? (pág. 54) ¿Qué casualidad le permite más tarde regresar a su casa? (págs. 55-56)

9 En su **cuarto viaje**, Simbad entra en contacto con una tribu que posee unos hábitos espeluznantes. ¿Qué hacen sus miembros para alimentarse? (pág. 60) ¿Cómo logra Simbad escapar de su aldea? (págs. 60-61)

10 Tras huir del poblado, Simbad se casa en un reino cuyo monarca lo acoge con gran hospitalidad. Sin embargo, ¿qué terribles consecuencias tiene el matrimonio para Simbad? (págs. 67-69) Cuando la muerte parece inevitable, ¿cómo consigue salvar su vida el célebre marino? (págs. 70 y 72)

11 En el **quinto viaje**, el barco de Simbad naufraga por culpa de una venganza. ¿Quién la toma y por qué? (págs. 74-76)

12 Una vez en tierra firme, Simbad se encuentra con un anciano que lo somete a una cruel tortura. ¿Cuál? (pág. 79) ¿Qué hace Simbad para librarse del viejo y cómo logra llegar a la ciudad de los simios? (págs. 80-82) Tras ser acogido por el afable Hasán, ¿a qué curiosa actividad se dedica el protagonista? (págs. 83-84)

13 Al principio del **sexto viaje**, Simbad está a punto de morir de hambre, pero logra salvar la vida. ¿De qué modo? (pág. 88) Tras llegar a Serendib, ¿qué detalle le revela lo sabio que es el rey del lugar? (pág. 90) ¿Qué encargo recibe Simbad del monarca cuando se dispone a volver a su tierra? (pág. 92)

14 Simbad emprende su **séptimo viaje** obligado por las circunstancias. ¿Quién lo empuja a embarcarse de nuevo y qué misión le encomienda? (pág. 93) ¿Qué incidente impide que Simbad regrese de inmediato a su patria? (pág. 96)

15 Por obra del destino, Simbad se convierte en un esclavo que dedica sus días a cazar elefantes y consigue hacer rico a su amo. ¿De qué modo? (págs. 98-100) ¿Qué premio recibe Simbad de su señor? (pág. 100)

16 Tras concluir la historia de sus viajes, Simbad el marino decide mostrarse generoso con Simbad el porteador. ¿Qué le ofrece? (pág. 102)

Comentario

1 Aunque las aventuras de Simbad son pura ficción, atestiguan una **realidad histórica** muy concreta. El relato fue escrito hacia el siglo XI, cuando los árabes se lanzaron a la conquista del mar y emprendieron largos viajes de finalidad comercial hacia lugares tan alejados como la India, China y Sudán. Embarcarse era entonces una empresa muy arriesgada, entre otras cosas porque los barcos árabes tenían las tablas del casco unidas con hilos de cáscara de coco y no con piezas de hierro como en Europa. A juzgar por la historia de Simbad, ¿a qué riesgo se exponían quienes se hacían a la mar? ¿Cómo refleja el relato la fuerte impresión que causaron las ballenas en los primeros navegantes árabes?

2 En el siglo XI, bastaba con acercarse a Basora o a cualquier otra ciudad portuaria para escuchar historias de marinos, en las que los sucesos reales solían mezclarse con **episodios legendarios**. Teniendo en cuenta los medios de comunicación existentes en la época, ¿crees que las aventuras de Simbad pudieron tomarse por una historia verídica? ¿Qué aspectos del relato te parecen menos creíbles? ¿En qué momentos de la historia queda claro el gran valor que le daban los árabes de la época a los buenos relatos? (págs. 14, 89 y 101)

3 Los siete viajes de Simbad el marino poseen una **estructura narrativa** muy semejante. ¿Cuáles son los dos únicos en que la aventura no comienza con un naufragio? ¿Hay alguna ocasión en que Simbad no vuelva a casa más rico de lo que se fue? ¿Qué promesa se hace siempre el personaje cuando regresa a su patria? ¿Por qué incumple su palabra en los viajes segundo a sexto? ¿Y en el séptimo?

4 Tal vez hayas reparado en que la historia de Simbad recuerda a menudo a **las aventuras de Ulises**, que fueron relatadas por el griego Homero hacia el siglo VIII a.C. ¿A qué pasaje de la *Odisea* recuerda el encuentro de Simbad con el gigante de un solo ojo? ¿Cómo concluye el episodio en la obra de Homero? ¿Qué vivencia de Simbad evoca el encuentro de Ulises con la hechicera Circe? ¿Y cuál parece una versión realista de la visita que hace el héroe griego al mundo de los muertos?

5 **Simbad el marino** es un pionero del mar que posee el espíritu arrojado del **explorador** y el

108

talante práctico del **comerciante**. Pero ¿qué sentimiento es más poderoso en él: el afán de vivir aventuras o la ambición de obtener riquezas? ¿Crees que Simbad es un hombre reflexivo y prudente o más bien impulsivo y temerario? ¿Se arrepiente alguna vez de haber abandonado su patria? ¿Siente miedo en los momentos difíciles? ¿Llega a desesperarse en alguna ocasión?

6 Aunque Simbad es un hombre de suerte, a menudo salva la vida gracias a sus **virtudes personales**. ¿Cuál de ellas demuestra con sus planes para escapar del gigante y del valle de las serpientes? ¿Cómo evidencia que es un hombre **precavido** cuando lo entierran en vida? (pág. 69) ¿En qué se aprecia que es una persona **intuitiva**? (pág. 60) ¿Te parece que su **fe en Dios** le ayuda a salir adelante en los momentos difíciles?

7 Se ha dicho que Simbad el marino es el **Ulises árabe**. El héroe de Homero es un hombre prudente, habilidoso, práctico, aventurero, seductor, curioso, astuto, generoso, fiel a su tierra y amante de su familia, así como un diestro narrador que no duda en mentir cuando le conviene. Demuestra con ejemplos cuáles de esos rasgos comparte Simbad con Ulises.

8 ¿Crees que las traumáticas experiencias que vive Simbad le hacen **madurar**? ¿Qué cosas aprende el célebre marino a valorar gracias a sus viajes? (pág. 73) En general, ¿consideras que los accidentes, las enfermedades graves y otras desgracias cambian el esquema de valores de las personas que las sufren?

9 En los momentos más duros de sus viajes, Simbad suele recibir la **ayuda solidaria** y **desinteresada** de gente a la que no conoce. ¿Cuál de esas muestras de generosidad te ha conmovido más? ¿Cómo parecen influir los favores que el protagonista recibe sin cesar en su forma de tratar a Simbad el porteador?

¿Te ha ayudado alguna vez un extraño en un momento difícil? ¿Crees que las personas que han sufrido mucho son más generosas con los demás que quienes han llevado una vida cómoda y fácil?

10 Los viajes de Simbad nos dan a entender que el mundo posee una extraordinaria **diversidad cultural**. ¿Crees que los gobernantes de hoy en día se esfuerzan por mantener esa variedad de costumbres? ¿O consideras más bien que pretenden crear un mundo en el que todos pensemos y actuemos según unos mismos patrones? Debate sobre esta cuestión con tus compañeros.

Creación

1 En los antiguos relatos de viajes el héroe solía visitar lugares fantásticos donde lo más extraño parecía posible, como los que encontró Jasón cuando buscaba el vellocino de oro o los que visitó Ulises en su camino hacia Ítaca. También Simbad se adentra en lugares tan asombrosos como el valle de las serpientes, donde tanto los reptiles como los diamantes poseen un tamaño descomunal. **Invéntate un país fantástico y descríbelo** en unas veinte líneas. Piensa, por ejemplo, en una costa que desaparece cada vez que un barco se le acerca, en una ciudad donde las casas vagan a la deriva en lugar de tener un lugar fijo o en una isla donde las estatuas cobran vida.

2 Las aventuras de Simbad surgen a menudo del encuentro con una bestia mitológica. **Imagina un animal maravilloso** y describe su apariencia y comportamiento en diez o doce líneas. Piensa, por ejemplo, en un ciervo capaz de matar con la mirada, en un león alado que se alimenta de la sombra de la gente o en un mono amarillo que absorbe desde lejos la sangre de las personas.

3 En su cuarto viaje, Simbad conoce dos pueblos cuyas costumbres le asombran: una tribu de caníbales y un reino donde los viudos son enterrados con vida.
Imagina que visitas un **país exótico** y redacta **una carta** en que le expliques a un amigo o familiar las **costumbres** que más te llamen la atención. Puedes documentarte leyendo sobre la vida de los aztecas, los pieles rojas de Norteamérica o las tribus de la sabana africana.

4 Imagina que eres un periodista de *El correo de Bagdad* y que Simbad el marino te concede una **entrevista**. Redacta una docena de preguntas que te gustaría hacerle.